스마트폰 활용의 달인 되기: 꼭 알아야 할 꿀팁 기능부터 AI까지

스마트폰 활용의 달인 되기: 기능부터 AI까지 꼭 알아야 할 꿀팁

발 행 | 2024년 08월 28일

저 자 | 황윤진

펴낸이 | 한건희

펴낸곳 | 주식회사 부크크

출판사등록 | 2014.07.15.(제2014-16호)

주 소 | 서울특별시 금천구 가산디지털1로 119 SK트윈타워 A동 305호

전 화 | 1670-8316

이메일 | info@bookk.co.kr

ISBN | 979-11-419-5348-5

www.bookk.co.kr

스마트폰 활용의 달인 되기: 꼭 알아야 할 꿀팁

한단계 한단계 꼼꼼하게 배우는 스마트폰 가이드
기능부터 AI까지

황윤진 지음

<u>머리말</u>

지난 5년 동안 디지털 수업에 참여하면서 강사로서 필요한 역량과 노하우를 쌓아왔습니다. 디지털 교육의 중요성과 그 영향력을 실감하며, 보다 효과적인 수업을 위해 끊임없이 고민하고 노력해왔습니다. 이 과정에서 얻은 경험과 지식을 많은 분들과 나누고자 이 책을 집필하게 되었습니다. 저의 노하우가 디지털 교육을 준비하는 많은 분들께 도움이 되기를 바랍니다.

디지털 교육은 빠르게 변화하는 시대에 발맞춰 끊임없이 발전하고 있습니다. 이러한 변화 속에서 학생들에게 보다 나은 교육을 제공하기 위해서는 강사의 역량 강화가 필수적입니다. 저는 앞으로도 지속적으로 배우고 성장하며, 더 나은 수업을 위해 최선을 다할 것입니다.

이 책이 많은 분들께 작은 도움이 되기를 진심으로 바라며, 디지털 교육의 밝은 미래를 함께 만들어 나가길 소망합니다.
이 여정에서 많은 도움을 주신 인천디지털배움터 최진선 마스터님과 전희경 팀장님께 깊은 감사의 말씀을 드립니다. 그리고 여러 가지 도움을 주신 황광오사장님, 심옥희여사님, 박기룡님, 지안, 지후 및 동료선생님들께도 감사의 인사를 전합니다. 위분들의 지도와 지원 덕분에 저의 교육 역량이 한층 더 성장할 수 있었습니다.

감사합니다.

목 차

목 차

01 스마트폰 알기

▶ 스마트폰(SmartPhone)정의

손안의 pc(모바일pc)로 시간과 공간의 제약 없는 지능형 스마트폰입니다. 휴대폰 기능은 물론 TV, 동영상제작, 카메라, 팩스, 캠코더, MP3 기능까지 갖추고 있어 "다기능 지능형 복합 단말기"라고도 불립니다. 최근에는 AI기능에 사물 인식기능, 번역은 물론 다양한 앱을 통해서 비즈니스에도 상용되고 있습니다.

▶ 수업시작 전에 꼭 체크하세요

Wi-fi 확인하기

① 스마트폰 상단 맨 위에서 손가락을 아래로 내려줍니다.

② 와이파이가 활성화 되어있는지 확인합니다.

▶ Wi-Fi는 집이나 공공장소에서 무선으로 인터넷을 사용할 수 있게 해주는 기술입니다.

▶ 데이터 사용 및 차단하기
　① 화면을 손가락으로 내리기
　② 모바일테이터를 선택합니다.(WI-FI가 안되는 곳에서는 모바일테이터 사용시 사용요금부과될 수 있습니다. 요금제에 따라 다름)

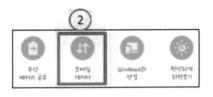

▶ 내 스마트폰 알기
　① 스마트폰 상단 알림바를 내려 [설정]을 선택
　② [휴대전화정보]를 선택
　③ 제품명 확인

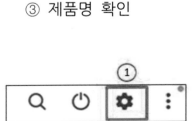

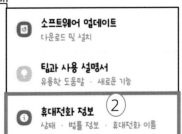

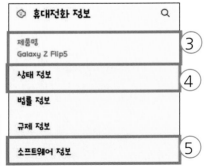

- 본인의 스마트폰제품명, 최초통화일, 소프트웨어 정보에서 안드로이드버전을 찾아 적어두세요.
- 안드로이드 버전이 낮으면 새로운 기능을 쓸 수 없습니다.

③내 휴대폰 제품명	④최초통화일 (사용기간을 알수있음)	⑤소프트웨어 정보속 안드로이드버전

- 소프트웨어 업데이트는 잊지말고 꼭 해서 새로운 기능을 사용하세요.

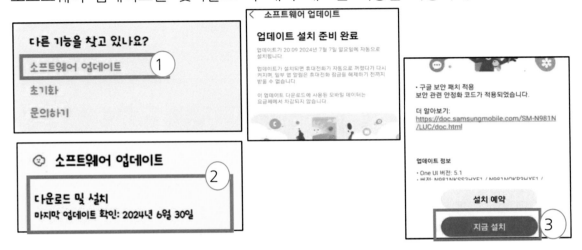

- 업데이트 할게 없으면 [지금설치]라는 단추가 나오지 않아요.

01 배터리를 아끼기1

▶ 화면 자동 꺼짐 시간 조절하기
① 설정
② 디스플레이
③ 1분 또는 2분으로 설정 (장시간동안 화면이 켜져있으면 배터리 소모가 큽니다)

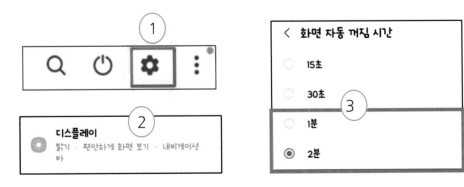

▶ 화면 밝기 조절하기-1
　① 알림줄을 손가락으로 내리기
　② 화면 맨 아래 밝기조절 하기

▶ 화면 밝기 조절하기-2
　① 알림줄을 손가락으로 내려 설정들어가기
　② 디스플레이 들어가기
　③ 밝기조절하기
　④ 편안하게 화면보기 체크시 블루라이트로 볼수
　　있어요)

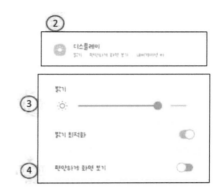

▶ 최근 실행 앱 확인하기
　① 화면아래 버튼 중 [최근실행 앱] 버튼 선택
　② 원하는 앱을 선택
　③ 화면을 모두 닫고 싶을땐 모두 닫기 버튼 선택

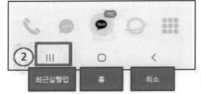 

01 배터리를 아끼기2

- 배터리 수명 늘리기

배터리를 0%까지 사용하지 않는 것이 중요합니다. 배터리가 완전히 방전되면 배터리 수명에 악영향을 줄 수 있습니다. 또한, 배터리가 100%가 되었음에도 계속 충전하는 것도 좋지 않습니다. 스마트폰에서는 배터리를 최대 80%까지만 충전하도록 설정할 수 있습니다.

▶ 배터리 80%까지만 충전시키기
　① 설정
　② 배터리
　③ 배터리 보호 글자 선택

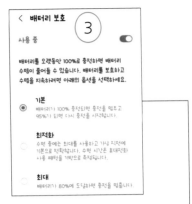

기본 : 배터리가 100%가 되면 충전을 멈추고 95%로 내려가면 다시 충전을 시작합니다.

최적화 : 수면 중에는 최대방법으로, 기상후에는 기본으로 전환됩니다.

최대 : 배터리가 80%에 도달하면 충전을 멈춥니다.

자세히 보기를 선택하면 날짜별로 배터리를 사용하는데 쓰인 어플목록을 확인할 수 있습니다

▶ 핸드폰에 문제가 생겨 AS 맡길 때 알아두기
   ① 설정
   ② 디바이스 케어
   ③ 수리모드 클릭
   ④ [켜기] 선택-> ⑤[다시 시작] 선택->수리센터에 그대로 맡기기

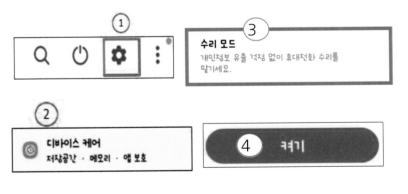

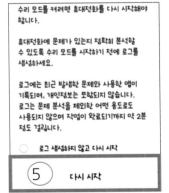

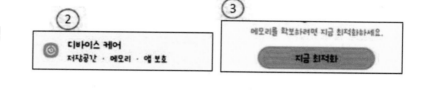

01 스마트폰 저장공간확인

▶ 저장공간 최적화 및 휴지통 홈화면으로 배치하기

① 설정
② 디바이스 케어
③ [지금 최적화] 클릭
④ 저장공간
⑤ 휴지통
⑥ ⋮ 선택
⑦ [홈 화면에 추가](안드로이드버전,휴대폰모델에 따라 없을 수 있어요)

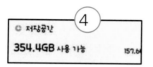

▶ 홈 화면에 디바이스 케어 위젯 추가하기

① 홈화면 빈 곳을 길게 누름
② 화면아래 [위젯]선택
③ 디바이스케어 선택후 원하는 사이즈를 길게 눌러 홈화면으로 가지고 나옵니다.

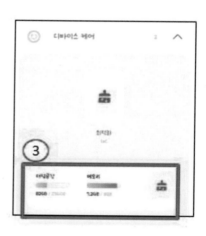

꾸욱

- 본인의 총 저장공간과 사용중인 공간을 적어두세요.

내 휴대폰 총 저장공간	사용중인 공간

▶ 저장공간 확인하기

① 디바이스케어 버튼 중 저장공간 선택
② 저장공간 선택
③ 총 저장공간과 사용중인 공간 확인

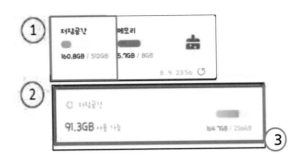

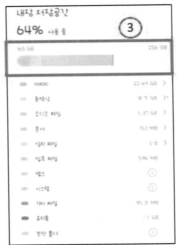

▶ 내파일로 자료 삭제하기

① 앱스-> 내파일 선택

② 이미지, 동영상, 문서, 다운로드에서 불필요한 것들 길게눌러 선택후

③ 삭제 누르기

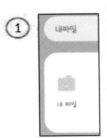

▶ 구글 파일로 자료 삭제하기1

① Play 스토어에서 구글파일 검색

② 화면왼쪽 ▤위 를 선택

③ 정리선택-> ④정크파일에서 [정리]선택

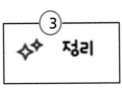

▶ 구글 파일로 자료 삭제하기2(구글파일은 스마트폰속 자료들을 정리해주는 기능입니다. 중복파일, 흔들린사진, 대용량사진, 오래전에 스샷한 사진 등등 종류별로 정리해줍니다. 사용자는 삭제만 해주면 됩니다.)
　① 정리된 파일명 아래 [파일선택]선택
　② 화면오른쪽 위 모든 중복 항복에 체크☑
　③ 화면 아래 [파일~개를 휴지통으로이동]선택

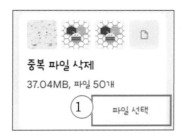
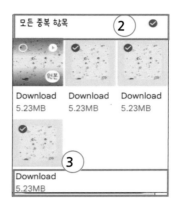

▶ 휴지통 비우기&복원하기 (휴지통에 들어간 자료는 30일후 영구삭제되니 따로 비우기 하지 않으셔도 됩니다.)
　① 디바이스위젯에서 저장공간 선택
　② [저장공간]선택
　③ [휴지통]선택
　④ 휴지통 속 내파일,갤러리 각각 선택하여 꾸욱 눌러 선택후 복원또는 삭제

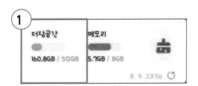

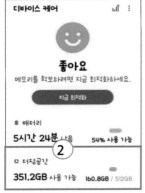
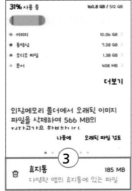
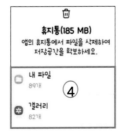
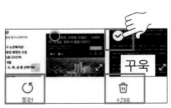

휴지통에서 복원한 사진은
갤러리로 들어갑니다.

01 구글계정 확인하기

▶ 자신의 구글계정알기

① Play 스토어
② 검색창 오른쪽에 본인 계정 선택
③ 구글계정 확인

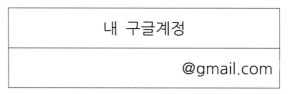

내 구글계정
@gmail.com

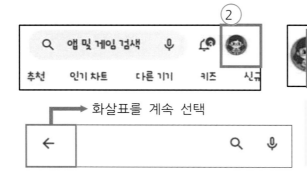

화살표를 계속 선택

만약 Play 스토어에 들어갔을 때 옆 화면처럼 화살표가 보이면 화살표가 돋보기로 될 때까지 계속 선택하세요.

▶ Play 스토어에서 스마트폰 정리-삭제

① Play 스토어 들어가기
② 오른쪽에서 본인 계정선택 ->앱 및 기기 관리
③ 유해한 앱 선택
④ 업데이트하기 선택

[유해한 앱]

[업데이트]

▶ Play 스토어에서 스마트폰앱 복구
  ① Play 스토어 들어가기
  ② 오른쪽에서 본인 계정선택->앱 및 기기 관리 선택
  ③ [관리]선택 후 아래 [설치되지않음] 선택
  ④ 복구원하는 앱 선택(예전에 설치했다가 삭제한
     어플들입니다.)
  ⑤ 상단 내려받기 선택

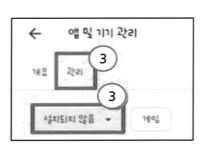
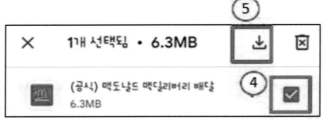

▶ Play 스토어에서 스마트폰앱 관리
  ① Play 스토어 들어가기
  ② 오른쪽에서 본인 계정선택->앱 및 기기관리
     선택->관리선택
  ③ 왼쪽은 설치됨, 오른쪽은 적게 사용하는 앱순으로
     적용
  ④ 적게사용한 앱 즉 사용하지 않은지 오래됐다는
     말임으로 삭제를 추천합니다. 선택 후 화면위
     휴지통을 선택합니다.

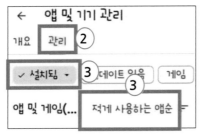
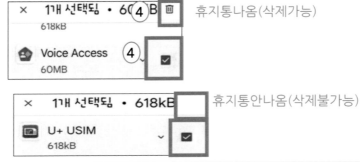

참고로 삭제하면 안되는앱일 경우 위 화면처럼 휴지통이 나오지 않습니다.
앱삭제는 한 개씩 선택하여 휴지통 누르는 것을 추천합니다.

01 캐시 삭제하기

- 캐시란?

cache로 사이트 접속할 때 미리 저장한 이미지나 배너등을 불러와 속도를 절약하게 해주는 임시기억장소입니다. 한번 접속했던 곳은 cache에 저장이 되어 두 번째 접속할 때 데이터 소모 없이 더 빠른 속도로 로딩이 가능합니다. 하지만, 캐시를 비워주지 않으면 업데이트가 안되거나, 캐시데이터가 너무 많을 시 과부하가 걸릴 가능성이 있습니다.

▶ 네이버 캐시 삭제
　① 네이버앱 들어가기->三선택
　② 오른쪽에서 설정선택
　③ 캐시삭제 선택

▶ 카카오톡 캐시 삭제
　① 카카오톡설정
　② 전체설정 선택
　③ 앱관리 선택
　④ 저장공간 관리선택
　⑤ 캐시 데이터, 음악, 인앱브라우저 웹뷰 삭제

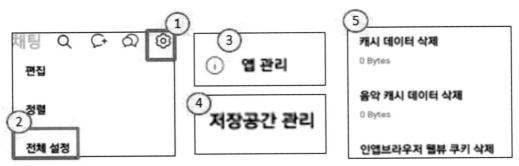

▶ 갤러리 캐시 삭제

① 설정선택
② 애플리케이션(앱) 선택
③ 갤러리 선택
④ 저장공간선택
⑤ 캐시삭제 선택

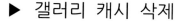
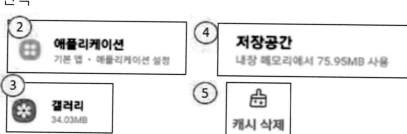

▶ 유튜브 캐시 삭제

① 설정선택
② 애플리케이션(앱) 선택
③ YouTube 선택
④ 저장공간 선택
⑤ 캐시삭제 선택

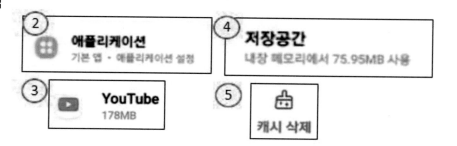

01 키보드 설정하기

▶ 글자크기

① 설정->디스플레이->글자 크기와 스타일
② 메시지는 손가락으로 조절

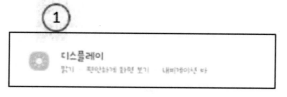
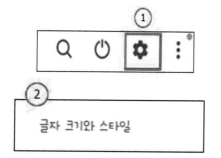

▶ 키보드 설정-이모티콘

① 설정선택
② 일반 선택(언어 및 입력방식)
③ 삼성 키보드 설정(스크린키보드)
④ 문구추천, 이모지추천 선택하기

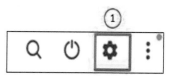

▶ 키보드 설정 -키보드배열(영타를 키보드형식으로 바꾸기)

① 설정선택
② 일반 선택(언어 및 입력방식)
③ 삼성 키보드 설정(스크린키보드)
④ 언어 및 키보드 형식 선택
⑤ 한국어 선택->쿼티로 변경

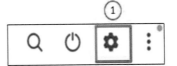

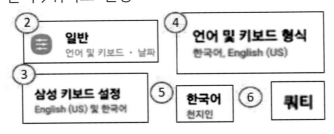

01 보조메뉴 설정

▶ 내 스마트폰 보조메뉴 설정하기

① 스마트폰 상단 알림바를 내려 [설정]을 선택
② [접근성]를 선택
③ [입력 및 동작]선택
④ [보조메뉴] 활성화

→ [보조메뉴]는 어느위치라도 이동가능합니다.

→ 사람모양의 아이콘메뉴가 생성됩니다

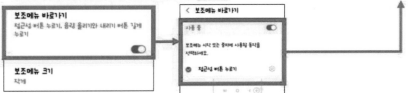

① 스마트폰 하단에 있는 기본메뉴와 동일

② 화면끄기 : 스마트폰화면을 꺼서 대기상태가 됩니다.

③ 음량 : 볼륨조절이 가능합니다.

④ 스크린샷 : 화면을 캡쳐합니다.

⑤ 알림창 : 지금까지 읽지 않았던 알림을 볼수 있습니다.

⑥ 손가락으로확대 : 화면을 확대할 때 쓰는 기능입니다.

⑦ 전원끄기메뉴 : 전원을 끕니다.

⑧ 화면제어 : 화면을 위,아래.왼쪽,오른쪽으로 이동시킵니다.

⑨ 메뉴설정 : 다른 메뉴를 추가할 수있습니다.

01 유용한 기능

▶ 유용한기능-손바닥으로 화면 캡처하기

① 설정

② 유용한기능-> 모션 및 제스처

③ 손으로 밀어서 캡처 활성화

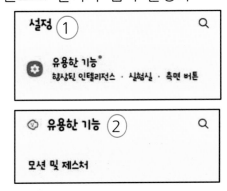

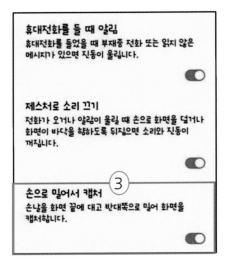

▶ 유용한기능-빅스비꺼내기
① 설정
② 유용한기능
③ 빅스비 호출
④ 사용중으로 활성화(호출어 설정가능)

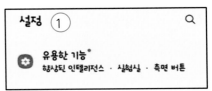

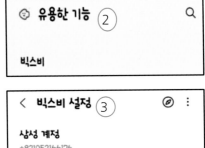

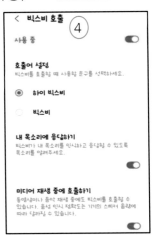

▶ 빅스비 앱스속어플/"하이빅스비"/오른쪽 빅스비버튼사용

① 앱스-> 빅스비검색
② 설정->잠금상태에서 사용켜기
③ 빅스비 호출
④ 사용중 전부 켜놓기

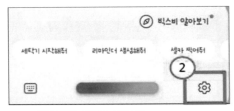

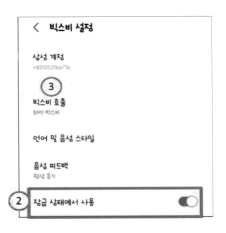

▶ 빅스비 사용해보기
① 뉴스 브리핑해줘
② 매일 아침 7시에 브리핑해줘
③ 매일 아침 8시에 약먹을시간 알려줘

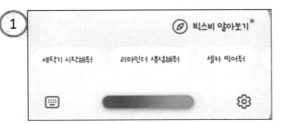

▶ 리마인더 (빅스비예약 삭제하기)
　① 앱스-> 리마인더 검색
　② 삭제할 리스트 선택->삭제

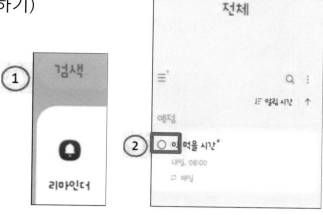

▶ 빅스비 루틴사용해보기
　① 언제 실행할까요? + 선택
　② 취침중 선택
　③ 충전중 아님,wifi 네트워크
　④ 무엇을 할까요? 절전모드

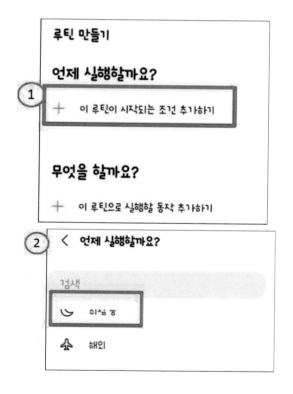

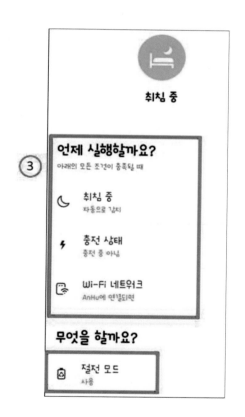

02 카메라

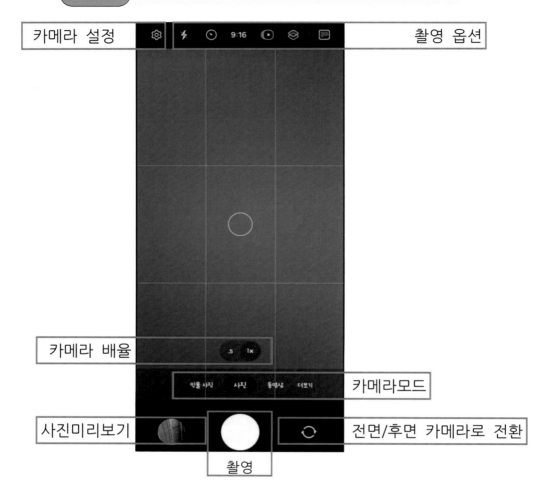

카메라 설정		촬영 옵션
카메라 배율		카메라모드
사진미리보기	촬영	전면/후면 카메라로 전환

▶ 기본설정-촬영방법

① 카메라->설정
② 촬영방법선택
③ 음성명령, 플로팅 촬영 버튼
　손바닥 내밀기 등등

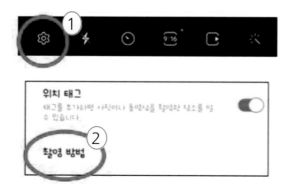

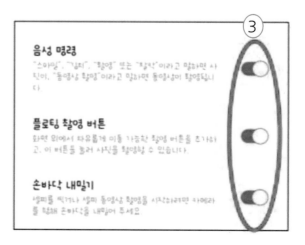

▶ 그리드사용하기(수직/수평 안내선) :사진의 구조를 파악할 때 도움이 됩니다.
  ① 카메라->설정
  ② 수직/수평 안내선

| 수직/수평 안내선 | ② | |

얼굴이 아래쪽에 있어 길어보이는 현상과 땅을 가운데에 넣어 나무가 짤리는 현상의 사진을 그리드로 더 확실히 알 수있습니다.

▶ 그리드 사용시 꿀팁!

얼굴은 가운데에 넣고 찍어요.
스마트폰은 렌즈에 굴곡이 있어 가운데가 왜곡없이 작게 나와요

분위기있게 벽에 기댈땐 카메라 반대발을 구부리면 길어보여요
카메라와 가까운쪽 발이 쭉 퍼져 있어야 다리가 길어보여요

▶ 핸드폰 카메라 실행

　① 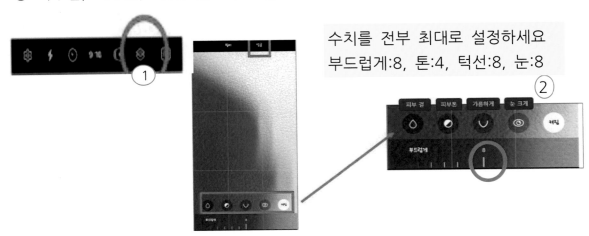 뷰티버튼 선택

　② 피부결, 피부톤, 턱선, 눈크기 조절하면 됩니다.

수치를 전부 최대로 설정하세요
부드럽게:8, 톤:4, 턱선:8, 눈:8

▶ 촬영 옵션-타이머 : 일정시간이 지나면 자동으로 사진촬영이 됩니다.

　① 타이머선택

　② 원하는 시간(초)선택

▶ 촬영 옵션-플래시 : 어두운 밤에 불빛을 켜주어 사진이 잘 나오도록
해줍니다.

　① 플래시선택

　② 플래시를 사용하거나, 오토로 설정하거나, 사용하지 않도록 설정

▶ 줌기능 : 촬영시 두 손가락으로 화면을 누른 상태에서 펴거나 오므리면
줌기능이 됩니다.

 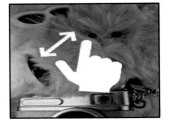

▶ 초점 맞추기 : 촬영시 화면을 가볍게 선택하면 초점을 잡아줍니다.

▶ 더보기 : 여러 기능들이 더 있습니다.
① 카메라->더보기 선택
② 음식:음식사진에 최적화
③ 파노라마: 좋은 경치를 넓게.
④ 디렉터스뷰 : 영상촬영시 상대와 나를
   동시에 나올수 있게 해줍니다.

사진예시

02 갤러리

① [동기화] : 원드라이브와 연동(마이크로소프트계정으로 로그인 되어 있어야 해요, 15GB제공, 한달100기가 사용시 요금 1900원결제)
② [검색] : 사진을 분류및 검색해줍니다.
③ [더보기] : 편집,만들기등을 합니다.

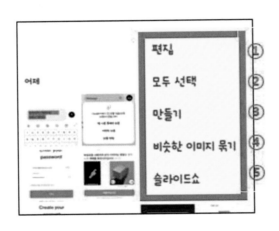

[더보기]에 있는 메뉴설명
① [편집] : 사진을 선택합니다.
② [모두선택] : 사진을 모두 선택합니다.
③ [만들기] : GIF, 콜라주,영상등을 만들어요.
④ [비슷한 이미지 묶기] : 비슷한 이미지끼리 정렬해줍니다.
⑤ [슬라이드쇼] : 사진들을 슬라이드쇼로 만들어요.

④ [사진] : 사진과동영상이 시간 순으로 보여요.
⑤ [앨범] : 사진을 분류해줍니다.
⑥ [스토리] : 사진들을 분류하여 영상으로 만들어줍니다
⑦ [三] : 동영상,즐겨찾기 등 여러 기능이 있어요.

▶ 갤러리 사진 편집하기

 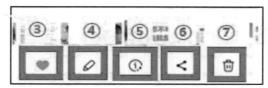

③ [즐겨찾기] : 즐겨찾기에 따로 보관되요

④ [편집] : AI기능,자르기,필터,그리기,스티커,스티커등 편집해요

⑤ [정보] : 사진정보 및 리마스터,AI지우개사용되요.

⑥ [공유] : 공유해요

⑦ [휴지통] : 휴지통에 버려요.

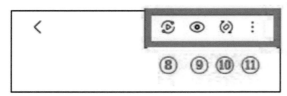

⑧ [미러닝] : 스마트폰사진을 미러링 할때 이용해요.

⑨ [스마트뷰] : 본인 계정 및 설정을 변경할 수있어요.

⑩ [회전] : 사진을 회전시켜요.

⑪ [더보기] : 배경화면으로설정, 보안폴더공간으로 이동,인쇄

갤러리 사진 AI로 편집하기

① 🖊 편집메뉴 선택

② 🔡 도구메뉴 선택

③ AI지우개 선택

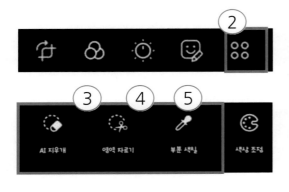

지우고싶은 부분을 손가락으로 형태를 그려줍니다.

[AI 수정 전]

[AI 수정 후]

④영역자르기 : 원하는 부분만 추출
합니다.

⑤부분 색칠 : 원하는부분만 컬러로
둡니다.

⑥ 필터 :여러가지 그림효과가 있어요

▶ 갤러리 사진 三메뉴 기능들

1 [동영상] : 동영상만 나와요
2 [즐겨찾기] : 하트누른 사진들이나와요
3 [최근항목] : 최근사진,영상순으로 나와요
4 [추천] : 스마트편집할수있도록 추천이나와요

▶ 갤러리 사진 三메뉴 기능들

5 [위치] : 위치별로 사진들이 나와요.
6 [공유앨범] : 공유한 앨범이 나와요
7 [휴지통] : 삭제한 사진들이 나와요
8 [설정] : 장소이름표시,모션포토자동재생 같은걸 설정해요

▶ 갤러리 사진 여러개 삭제하기

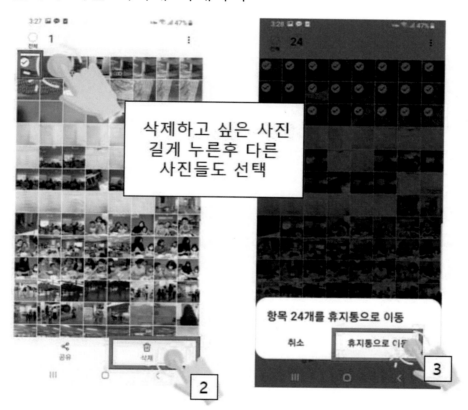

삭제하고 싶은 사진
길게 누른후 다른
사진들도 선택

항목 24개를 휴지통으로 이동

취소   휴지통으로 이동

▶ 갤러리 사진 삭제하기

삭제하고 싶은 사진
선택한 후 휴지통
누르기

▶ 갤러리 앨범 활용하기
　① 앨범선택
　② 검색선택
　③ 검색창에 지명이나 음식같이 선별가능한
　　주제를 입력하면 사진을 찾아줍니다
　④ 사람인 경우 자동그룹화 시켜줍니다.
　　그룹명을 입력하여 관리 가능합니다.

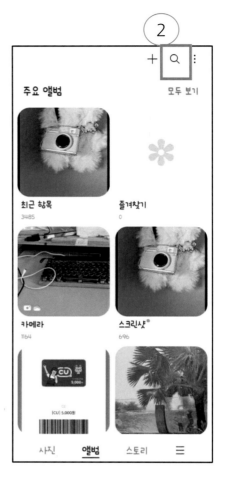

02 구글 포토

▶ 구글드라이브 캐시 지우기
　① Play 스토어에 들어가 구글드라이브 설치
　② 三 선택
　③ 설정 선택
　④ 캐시지우기

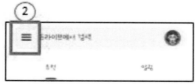

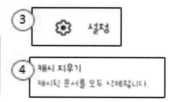

▶ 구글 포토 이용하기
① Play 스토어에서 구글포토 검색
② 허용->백업사용안함
③ 화면오른쪽위 본인계정선택
④ 계정 저장용량 알수 있음

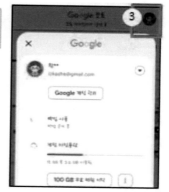

▶ 구글 포토 동기화(백업)하기
① 본인계정선택
② 포토설정선택
③ 백업 중지

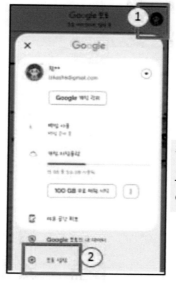

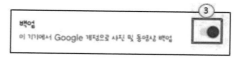

갤러리의 사진이 자동으로 구글포토로 업로드되는 것이 싫으면 백업 중지 하면 됩니다.

03 네이버 그린닷

▶ 네이버그린닷 이용하기
① 화면왼쪽 ☰ 선택
② 왼쪽상단 본인닉네임을 선택

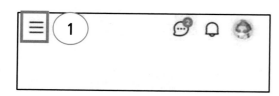
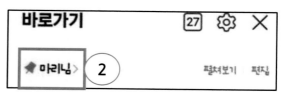

▶ 네이버그린닷 이용하기

③ 본인의 네이버 아이디를 확인할 수있어요.

④ 왼쪽상단 N 로고를 선택

⑤ 검색창 오른쪽 ◎ 그린닷 선택

네이버아이디

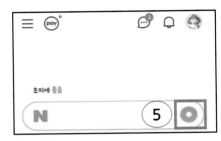

▶ 네이버그린닷 메뉴

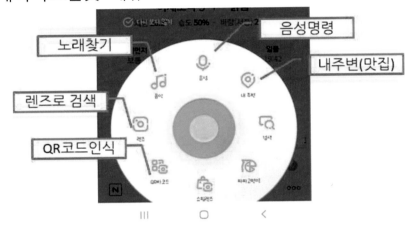

노래찾기 · 음성명령 · 내주변(맛집) · 렌즈로 검색 · QR코드인식

▶ 파파고 번역해보기

① 그린닷->파파고번역선택

② 카메라가 작동되면 비추고싶은 곳을 비추고
   카메라 버튼 선택

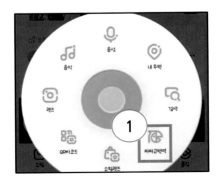

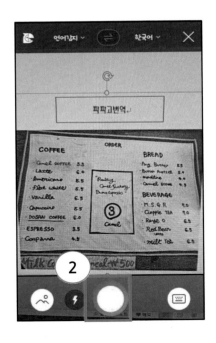

예제이미지[Example Image]

▶ QR코드 사용해보기

① 그린닷->QR코드선택

② 카메라가 작동되면 QR바코드를 비추세요

③ 상단에 뜨는 글자를 선택해 주세요 어떻게 나오나요? 끝까지 푸시면 채점도 됩니다.

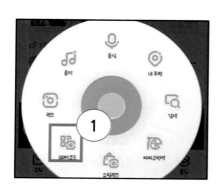

▶ 렌즈 사용해보기

① 그린닷->렌즈선택

② 카메라가 작동되면 사물을 비추세요 사진처럼 연두색테두리 동그라미가 많이 생길 때 촬영버튼을 선택합니다.

③ 렌즈가 사물에 대해 정보를 찾아줍니다.

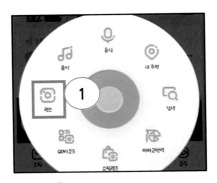

예제이미지

▶ 쇼핑렌즈 사용해보기

① 그린닷->쇼핑렌즈선택

② 카메라가 작동되면 사물을 촬영합니다.

③ 렌즈가 쇼핑몰을 찾아줍니다.

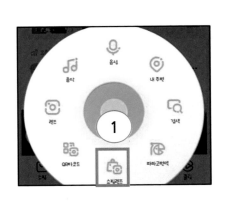

▶ 음악 사용해보기

　① 그린닷->음악선택

　② 현재 나오고있는 곡이 궁금할 때 음악을 누르면 곡제목을 검색해줍니다

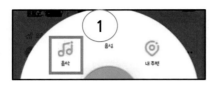 

▶ 음성 사용해보기

　① 그린닷->음성선택

　② 궁금한 것을 음성으로 질문합니다.

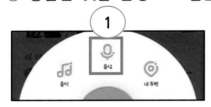

질문해 보세요.

- 내일 날씨

- 5달러 환율

- 오늘 삼성 주가

- 캐시삭제

- 오늘 뭐 먹을까?

▶ 내주변 사용하기

　① 그린닷->내주변선택

　② 본인위치또는 다른지역검색을 눌러 지역을 선택

　③ 맛집, 카페, 술집, 가볼만한곳, 문화, 테마 로 나눠 있습니다

　④ 추천순, 리뷰순, 거리순으로 선택 가능합니다.

　⑤ 원하는 장소를 선택하면 길찾기, 전화, 공유를 할 수 있습니다.

03 인공지능 에이닷

▶ 새로운세상-인공지능 에이닷
① Play 스토어->[에이닷]설치
② 휴대폰 번호로 계속하기 선택 (본인 핸드폰번호로 인증 후 사용가능합니다.)

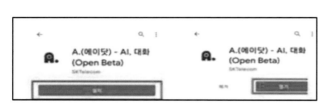

▶ 에이닷으로 ai프로필만들기(퍼스널컬러)
① 화면하단 앱 선택
② 포토선택
③ ai프로필 옆 전체보기 선택
④ 원하는 컨셉을 선택
⑤ AI지우개를 이용하면 불필요한 인물이나
　　사물을 깨끗하게 지울 수 있습니다.

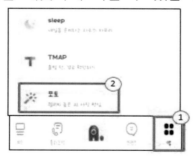

▶ 에이닷으로 수면분석하기
① 화면하단 앱 선택
② Sleep선택

▶ 에이닷으로 수면분석하기
   ③ 취침시간선택
   ④ AI알람 선택
   ⑤ 수면분석시작 선택

▶ 에이닷으로 수면분석하기
   ① 화면하단 앱 선택
   ② Sleep선택
   ③ 리포트 선택
   ④ 수면 측정 보기

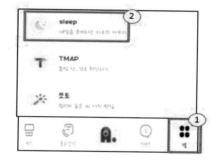

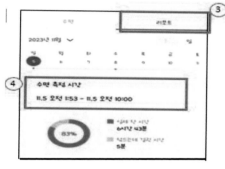

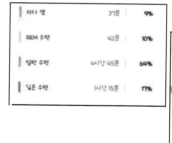

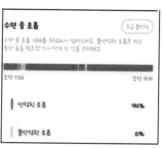

▶ 에이닷으로 통화요약하기
   ① 화면하단 통화요약 선택
   ② [시작하기] 선택
   ③ 통화내용 요약해주고 약속을
      정한경우 스케줄등록 가능

▶ 에이닷으로 챗T하기

① 화면하단 앱 선택
② 챗T선택
③ 화면상단에 플러그인선택하여
　　관심분야로 체크 (최대3개)

질문을 해봅시다.
-고혈압있는 사람의 아침 추천해줘
-70대 엄마의 생일축하메세지 써줘
-인천 1박2일 여행코스짜줘
-표로 작성해줘
-영어로 만들어줘
-램수면은 몇시간이 적당해?

▶ 에이닷으로 루틴사용하기(모닝콜)

① 화면하단 앱 선택
② 루틴선택
③ 아침"굿모닝 " 선택
④ 이시간이되면 선택
⑤ 요일선택
⑥ 시간선택
⑦ 공휴일에는 실행하지않음

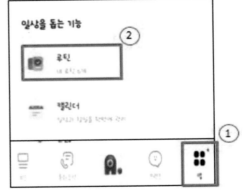

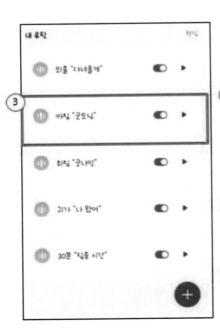

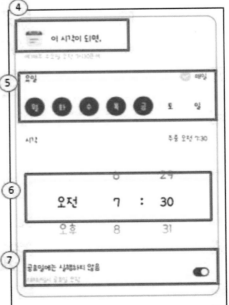

▶ 에이닷으로 루틴사용하기(약먹을시간)

① 화면하단 앱 선택
② 루틴선택
③ ● 버튼 선택
④ 이시간이되면 선택
⑤ 매일선택
⑥ 시간선택

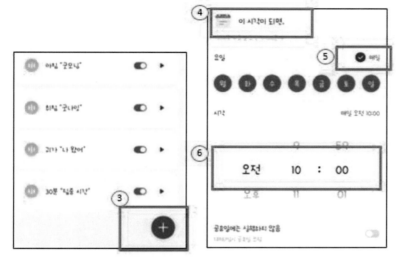

▶ 에이닷 AI 비서와 대화하기

① 화면하단 앱 선택
② 메시지입력란을 선택하여 대화하거나,
  오른쪽 옆 마이크를 눌러 음성으로 대화도 가능 합니다.
③ 메시지입력을 선택하면 왼쪽에 +버튼이 생기며 이버튼으로 이미지
  인식가능(이미지에 대한 분석을 해줍니다.)
④ 이어서 질문 가능합니다.

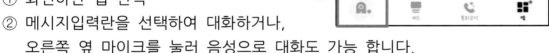

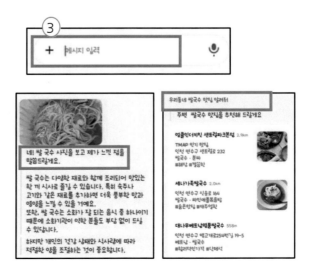

03 클로바노트

▶ 클로바 노트로 음성녹음, 메모남기기

① 클로바노트 설치 및 실행

② [네이버로 로그인]선택

③ [확인]->[앱 사용중에만 허용]선택

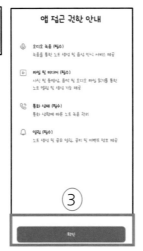

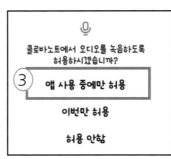

④ + 버튼 선택

⑤ 녹음 버튼 선택

⑥ 음성녹음 바로 됩니다. 녹음 끝나면 상단위 [종료]선택->[녹음종료]선택

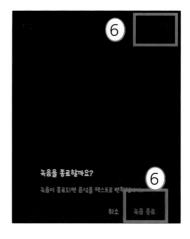

▶ 클로바 노트로 녹음된 음성 듣기

① 원하는 내용을 선택->[플레이▶]버튼 클릭하면 음성으로 들을수 있어요

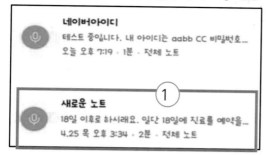 

② 상단오른쪽 메모,요약을 선택
③ [AI가 요약한 핵심 내용 확인하기] 선택
④ [요약하기]선택
⑤ AI가 녹음 내용을 요약해 줍니다.
⑥ 새로운노트라는 정해주는제목을 선택하면 원하는 제목으로 수정가능해요

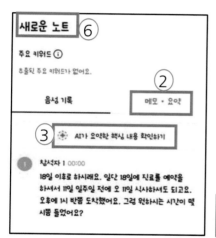 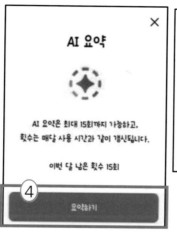 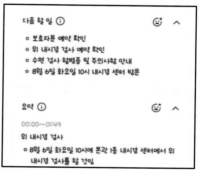

1회 최대 180분 녹음 가능하며 총 300분까지 녹음 가능
AI요약은 매달 15회 제공됩니다.

03 갤럭시 통화 녹음

▶ 삼성폰 녹음기능

① 전화번호 입력후->녹음선택

▶ 통화어시스트(핸드폰기종, 안드로이드 버전에 따라 지원이 안될수 있습니다.)

① 텍스트 통화

음성통화가 곤란한 상황일 때 사용합니다.

문자를 입력하면 상대방에게는 음성으로 안내됩니다.

② 실시간 통역

상대와 외국어로 통화시 실시간 번역되어 음성으로 나옵니다.

단점은, 통화내용과 함께 통역되어 다소 산만합니다.

텍스트 통화	실시간 통역

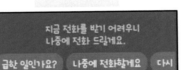

▶ 통화녹음확인

① Play스토어 선택->삼성녹음 검색

② 화면 오른쪽위 목록선택

③ 통화녹음 선택

④ ▶버튼 누르면 통화내용을 음성으로 들을 수 있습니다.

⑤ 통화제목을 선택하면, 내용을 텍스트로 보거나, 요약할 수있습니다.

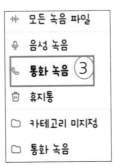

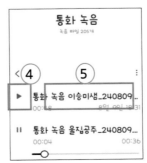

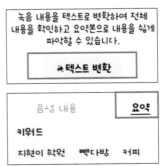

▶ 녹음지우기
① 손가락으로 길게 누르면 선택
② 삭제

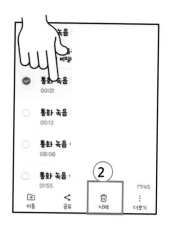

▶ 통화시 자동녹음 되도록 설정
① 통화키패드 선택->오른쪽 위 선택
② 설정선택
③ 통화녹음 선택
④ 통화자동녹음 선택

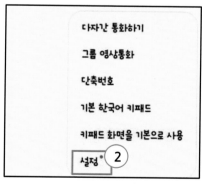

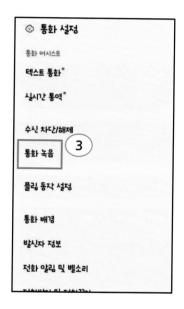

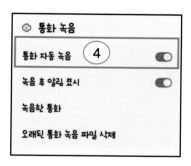

04 카카오톡-프로필

▶ 카카오톡 프로필변경하기

③프로필편집   ③펑보관함

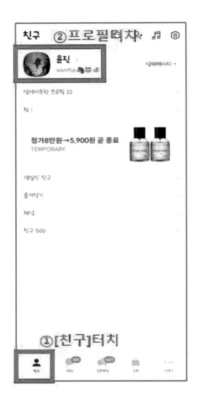

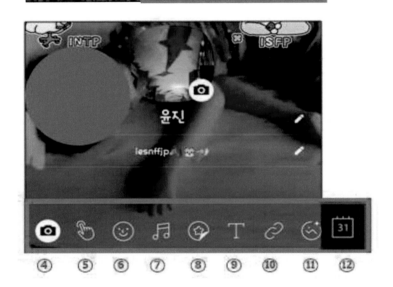

④ [사진] : 사진이나동영상을 가지고와요
⑤ [공감스티커] : 목표,공감,질문등을 올려요.(공감한 친구를 볼수 있어요)
⑥ [이모티콘] : 이모티콘을 붙여요.
⑦ [뮤직] : 음악을 올려요.
⑧ [스티커] : 카카오에서 제공하는 스티커를 붙여요.
⑨ [텍스트] : 글씨를 입력해요.
⑩ [링크] : 인터넷사이트와 연결해요.
⑪ [효과] : 배경에 여러효과를 넣어요.
⑫ [디데이] : 디데이를 넣어요.

▶ 카카오톡 펑만들기 ③펑보관함

카카오톡의 펑 기능은 사용자들이 더 가볍고 재미있게 소통할 수 있도록 설계된 기능입니다

1. 다양한 표현 도구: 이모티콘, 배경지 등 카카오톡에서 제공하는 다양한 도구를 활용해 자신의 마음을 표현할 수 있습니다
2. 간편한 반응: 친구의 펑에 공감 리액션을 남길 수 있으며, 이는 채팅방으로 전달되지 않고 해당 친구만 확인할 수 있습니다
3. 메시지 전송: 친구의 펑에 메시지를 남기면 1:1 채팅방으로 전달됩니다.
4. 위젯 기능: 최근 업데이트로 펑 게시물을 놓치지 않고 확인할 수 있는 위젯 기능이 추가되었습니다.

펑 기능은 카카오톡 버전 v10.3.5부터 사용 가능하며, 친구 탭의 펑 영역에서 만들기 버튼을 선택하여 시작할 수 있습니다

◆ 24시간 : 펑으로 올린 내용은 설정 동안만 표시되고 자동으로 사라집니다 이를 통해 사용자들은 부담 없이 자신의 생각이나 일상을 공유할 수 있습니다.

◆ 전체친구: 사용자는 자신의 펑을 볼 수 있는 친구를 선택할 수 있어, 원하는 사람들과만 소통할 수 있습니다

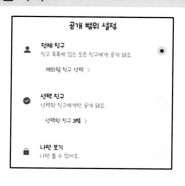

-텍스트 입력
-이모티콘
-스티커
-공감
-이미지
-링크
-위치공유

04 카카오톡-친구설정

▶ 카카오톡 친구메뉴1

② [검색] : 명칭으로 검색하여 친구를 찾아요
③ [친구추가] : QR코드, 연락처로 추가, ID로 추가, 추천친구가 있어요.
④ [뮤직] : 멜론과 연동되어 음악을 검색하거나, 친구의 프로필 뮤직을 들을 수있어요.
⑤ [설정] : 연락처에 있는 친구를 자동으로 등록하거나 생일인친구를 설정할 수있어요. 버전 확인도 가능해요.

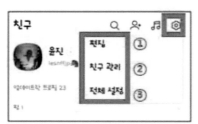

① [편집] : 친구를 숨기거나, 즐겨찾기에서 해제해요
② [친구관리] : 연락처에 있는 친구를 자동등록하거나, 새로고침, 숨김이나 차단친구를 관리해요 생일인친구, 업데트한프로필, 기억할 친구까지 친구관리에서 관리합니다.

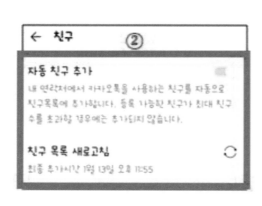

▶ 카카오톡 친구메뉴2

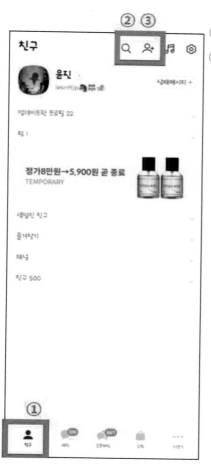

② [검색] : 명칭으로 검색하여 친구를 찾아요
③ [친구추가] : QR코드, 연락처로 추가, ID로 추가, 추천친구가 있어요.

③-1 [QR코드] : QR코드를 상대방이 카메라 렌즈로 비추면 친구추가가 되요
③-2 [ID로 추가] : 자신의 ID로 추가 가능합니다. ID는 1회 변경 가능합니다.

04 카카오톡-설정[버전업데이트]

▶ 카카오톡 친구메뉴3
① [친구] - ② [설정] - ③ [전체설정] - ④ [공지사항] - ⑤가장 상단에 있는 업데이트안내 선택 - ⑥ 화면 맨 아래 '최신버전 카카오톡으로 바로 업데이트하기!' 선택

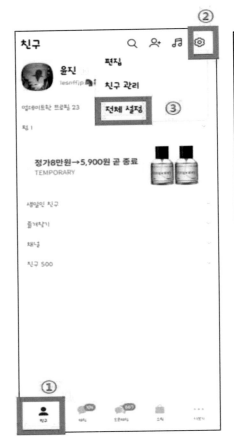

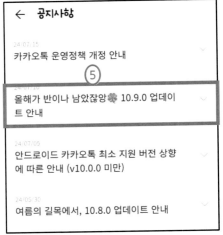

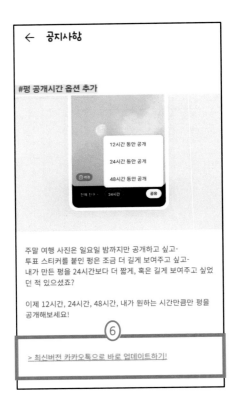

▶ 카카오톡 친구메뉴3

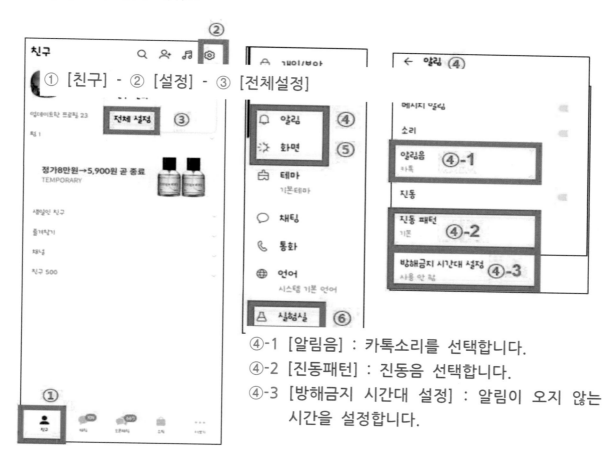

① [친구] - ② [설정] - ③ [전체설정]

④-1 [알림음] : 카톡소리를 선택합니다.
④-2 [진동패턴] : 진동음 선택합니다.
④-3 [방해금지 시간대 설정] : 알림이 오지 않는
시간을 설정합니다.

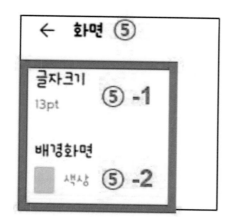

⑤ -1 [글자크기] : 글자크기 선택합니다.
⑤ -2 [배경화면] : 카톡방의 색상또는 배경 이미
지를 선택합니다.

04 카카오톡-실험실

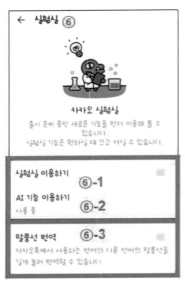

⑥-1 [실험실이용하기] : 새로운기능을 체험할 수 있어요.
⑥-2 [AI기능이용하기] : 말투및 대화 요약하기 가능해요
⑥-3 [말풍선번역] : 말풍선을 꾸욱 누르면 번역가능해요.

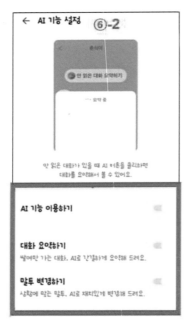

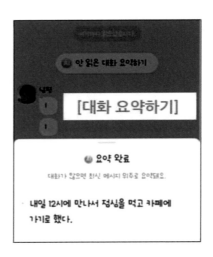

[대화 요약하기] : 못읽은 대화를 요약해줘요
[말투 변경하기] : 여러가지 스타일의 말투로 변경해요.

[말투 변경하기]

▶ 친구 숨김/차단

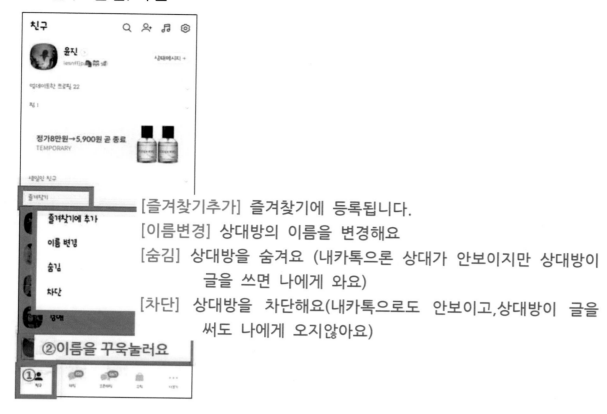

[즐겨찾기추가] 즐겨찾기에 등록됩니다.

[이름변경] 상대방의 이름을 변경해요

[숨김] 상대방을 숨겨요 (내카톡으론 상대가 안보이지만 상대방이 글을 쓰면 나에게 와요)

[차단] 상대방을 차단해요(내카톡으로도 안보이고,상대방이 글을 써도 나에게 오지않아요)

▶ 채팅방 알아보기

② [검색] : 명칭으로 검색하여 친구를 찾아요

③ [새로운채팅] : 일반채팅과 비밀채팅(대화내용이 미리보기가 안되요)

④ [설정] : 톡방에서 나가거나(편집),채팅방 순서를 바꾸거나(정렬),전체설정등을 할수있어요.(친구에서의 설정과 동일)

③ [새로운채팅]

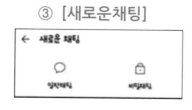

▶ 채팅방 내용 삭제

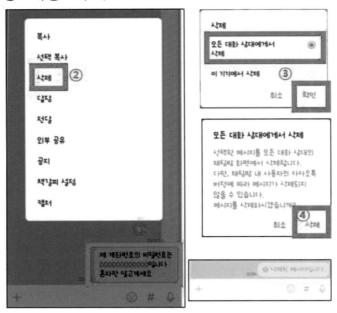

① 삭제하고픈 내용을 꾸욱 눌러요.
② [삭제] -> ③[모든 대화상대에게서 삭제]->[확인]눌러요
④ [삭제]누르면 되요. 메시지는 5분안에 삭제 가능해요

▶ 채팅방 책갈피설정/공지등록하기

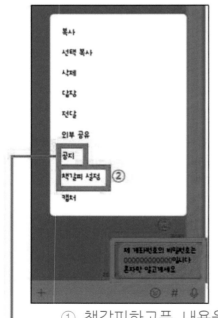

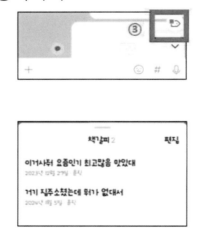

① 책갈피하고픈 내용을 꾸욱 눌러요.
② [책갈피 설정] ->③대화창 오른쪽 아래에 ⌸ 모양이 뜹니다.
　 누르면 책갈피 설정된 문장들이 나옵니다.

공지를 누르면 채팅창 상단에 고정으로 떠있게 됩니다.

04 카카오톡-채팅방메뉴

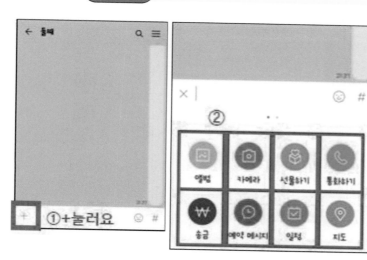

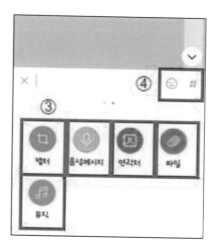

② [앨범] 갤러리에있는 이미지나 동영상을 보내요
[카메라] 사진이나 영상을 바로 찍어 보내요
[선물하기] 상대방에게 카카오에서 파는 선물을 보내요
[통화하기] 상대방과 통화해요
[송금] 상대방에게 돈을 보내요
[예약메시지] 보낼메세지를 미리 예약해요
[일정] 상대방에게 일정을 보내요
[지도] 상대방에게 지도를 공유해요

③ [캡처] 대화내용을 캡처할수있어요.
[음성메시지] 목소리(음성)를 보내요
[연락처] 상대방에게 본인이 저장한 다른사람의 연락처를 보내요.
[파일] 문서를 보내요.
[뮤직] 음악을 보내요(멜론뮤직사용자가 아니면 미리듣기만 가능해요)

④ [☺이모티콘] 이모티콘보내요.
[#]#누르고 검색할 단어를 쓴후 [돋보기]선택해요

▶ 채팅방 말풍선에 감정표시하기

① 말풍선을 꾸욱 눌러요
② 맘에드는 이모티콘을
   선택해요.

▶ 채팅방 이미지, 영상 저장하기

① [내려받기 ⬇] : 갤러리로 저장되요.

② [전달 ⬆] : 다른사람에게 전달되요.

③ [휴지통 🗑] : 삭제되요.

④ [효과 ✳] : 크기, 회전, 글자입력, 스티커, 그리기등을 더 한후 톡방에 다시 올라가요.

⑤ [기타 ⋯] : 용량, 종류, 해상도등을 알수있어요.

▶ 채팅방 내용찾기

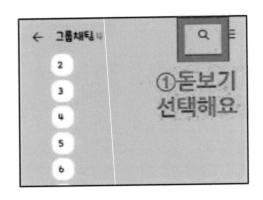 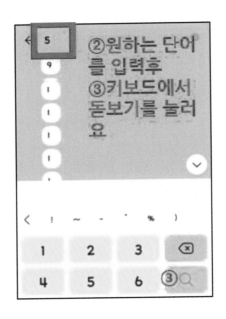

▶ 채팅방 여러 가지 기능1

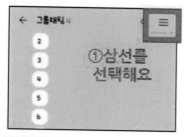

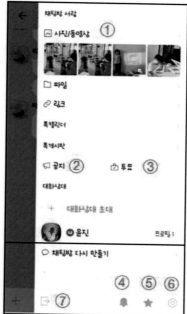

① [사진/동영상] : 채팅방에 올라온 사진/동영상을 볼수있어요.

② [공지] : 채팅방상단에 공지를 올릴 수 있어요

③ [투표] : 투표를 할수있어요.

④ [알림🔔] : 글이 올라올 때 알림을 설정할 수 있어요.

⑤ [즐겨찾기★] : 용량, 종류, 해상도등을 알 수 있어요.

⑥ [설정⚙] : 용량, 종류, 해상도등을 알 수 있어요.

⑦ [나가기⬅] : 채팅방에서 나갈 수 있습니다.

▶ 채팅방 여러 가지 기능2

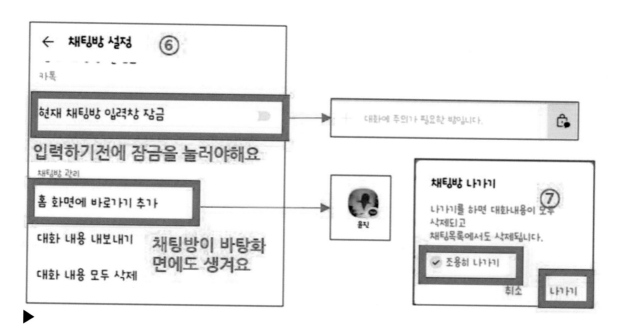

▶ 오픈채팅

② [채팅방만들기 🗨️+] : 오픈채팅방을 만들어요

③ [MY 📱] : 내가 만든 오픈채팅방과 오픈

　프로필을 볼수 있어요.

④ [설정 ⚙️] : 채팅방 편집,정렬,전체 설정을 해요.

04 카카오톡-쇼핑

▶ 카카오쇼핑

② [MY 💼] : 내가 보낸 선물, 받은 선물들이 모두

　나와요.

③ [설정 ⚙️] : 친구에 있는 설정과 동일해요.

④ [선물하기]선택 -> ⑤ 선물종류를 골라요 ->

⑥ 선물을 선택해요 -> ⑦ 선물받을 사람을 선택해요.

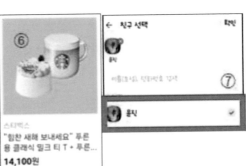

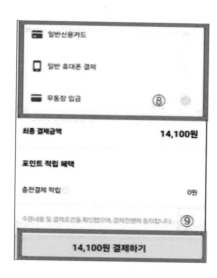

⑧ 결제할 방법을 선택
⑨ 결제하기를 선택
⑩ 입금할 계좌번호를 복사후 입금하면 되요.

▶ 카카오톡 톡서랍으로 삭제하기
　① 카카오톡->하단 더보기->…선택
　② 서랍선택
　③ 사진,동영상 선택
　④ 불필요한 사진또는 동영상을 길게~선택후
　　 여러 개를 선택하여 하단의 휴지통을 선택하여 삭제

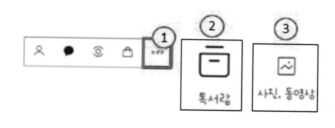

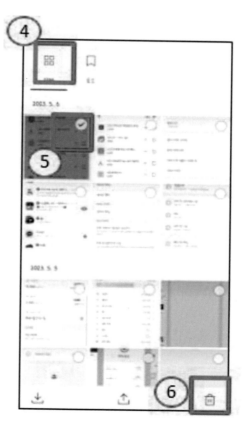

스마트폰의 놀라운기능

▶ 내 스마트폰 엣지 설정하기
① 스마트폰 상단 알림바를 내려 [설정]을 선택
② [디스플레이]를 선택
③ [Edge패널] 활성화

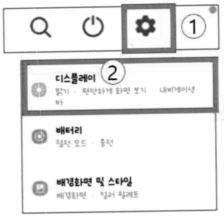
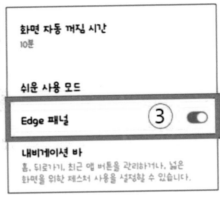

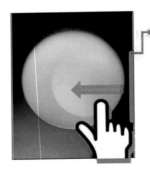

→ Edge 패널 핸들

[설정]터치

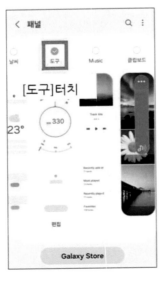

[도구]터치

[더보기메뉴]
터치

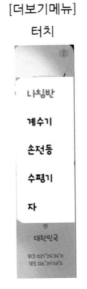

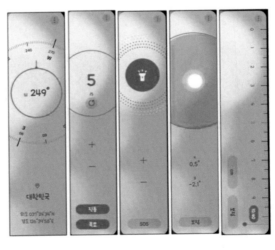

▶ 내 스마트폰 간편측정 설정하기
  ① [카메라]앱 실행
  ② [더보기]를 선택
  ③ [AR존]선택

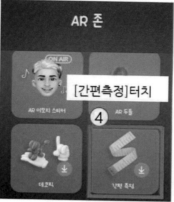

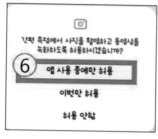
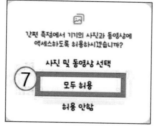

측정방법:
카메라로 측정하고 싶은 대상 비춥니다. 점이 나타나면 대상의 시작점에 화면을 맞추고 +버튼을 누른후 끝쪽으로 이동하여 +버튼을 누르면 됩니다.

05 AR존 설정하기

▶ 내 스마트폰 AR존 설정하기
　① [카메라]앱 실행
　② [더보기]를 선택
　③ [AR존]선택
　④ [AR이모지스튜디오]를 선택
　⑤ [시작하기]선택

  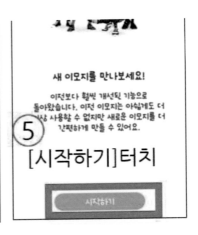

　⑥ 화면하단 [+]선택
　⑦ [카메라로 이모지 만들기] 선택->본인얼굴로 이모지를 만들어줘요.

 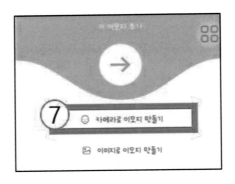

⑧ 체형선택->머리스타일,눈코입 등 수정 가능합니다.

⑨ 다만든 후 왼쪽 상단 〈 선택
⑩ 홈으로 나오면 본인 이모지아래 동영상 선택
⑪ 하단에 뜨는 영상중 맘에드는 영상 선택 후 ⑫오른쪽 상단 [저장]선택

만든 영상은 통화배경, 잠금화면, 알람배경으로 이용 할 수 있습니다.

05 이모지로 영상통화하기

▶ 내 이모지로 영상통화하기

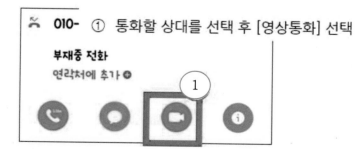

010- ① 통화할 상대를 선택 후 [영상통화] 선택

부재중 전화
연락처에 추가 ⊕

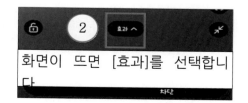

화면이 뜨면 [효과]를 선택합니다.

[이모지]를 선택하면 됩니다.

그 외 효과 속 기능들

효과-레이아웃:화면분활

효과-필터:여러효과주기

▶ 영상통화 버튼설명

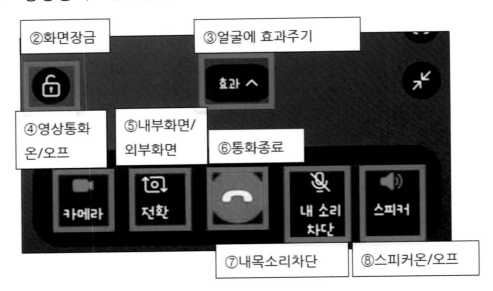

② 화면장금
③ 얼굴에 효과주기
④ 영상통화 온/오프
⑤ 내부화면/ 외부화면
⑥ 통화종료
⑦ 내목소리차단
⑧ 스피커온/오프

05 모바일팩스

▶ 스마트폰 활용-모바일팩스
① [play 스토어]에서 [모바일팩스]를 설치
② 액세스는 모두[허용]을 선택

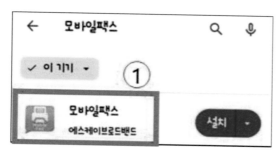
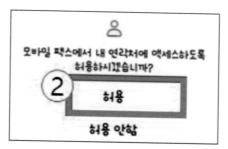

③ 전체동의 후 ④[다음]선택

⑤ 신규가입에 [체크]->[다음]선택

⑥ 원하는 번호(본인의팩스번호입니다)를선택

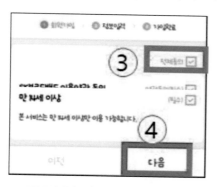
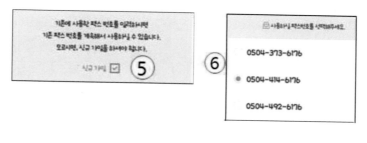

▶ 모바일팩스 사용하기

① [팩스발송]선택

② [사진/문서 첨부]선택

③ 보내고자하는 파일을 선택

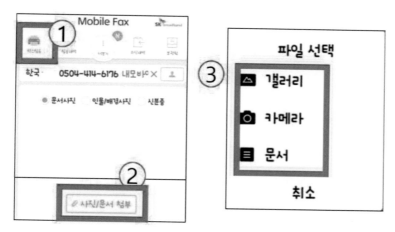

④ 파란화살표를 손가락으로 각도및 크기조절 후

⑤ [체크]선택

⑥ [팩스발송]선택

*장문자를 보낼때 나오는 요금(mms)이 발생됩니다.

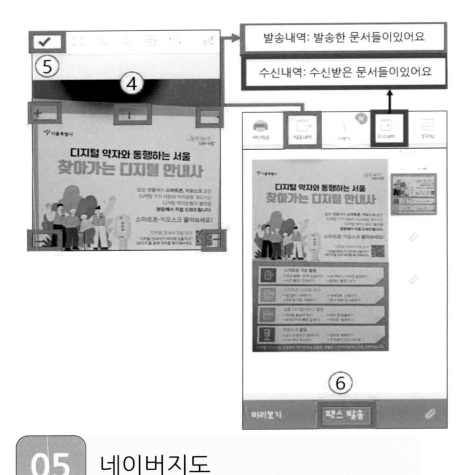

발송내역: 발송한 문서들이있어요

수신내역: 수신받은 문서들이있어요

05 네이버지도

▶ 스마트폰 활용-네이버 지도

① [play 스토어]에서 [네이버지도]를 설치

② 액세스는 모두[허용]을 선택

▶ 현재 내 위치 알아보기

① 설정으로 들어가 위치선택합니다.

② 현재 내위치가 파란점으로 표시됩니다

③ [+]를 누르면 화면이 확대되요

[-]를 누르면 화면이 축소되요

④ 내위치(파란 점)에서 가까운 건물을 선택하면 내위치의 주변 정보를 확인할
수 있어요

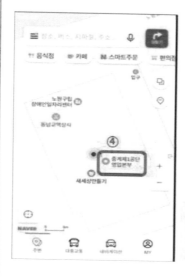

▶ 현재 내 위치 공유하기

① 공유하기 버튼[]을 누르면 내 위치를 가족이나 지인에게
② 카톡으로 보낼 수 있어요

③ 정보를 공유할 지인선택하면 되요
④ [주변]을 누르면 처음 화면으로 돌아와요

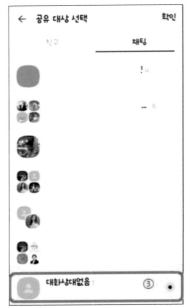  

▶ 맛집 찾기
① 검색창에 맛집이라 입력하고
② 검색합니다.
③ 화면을 확대하고 ,내위치중심, 관련도순으로 정렬하면 내위치를 중심으로 키
워드를 판단하여 거리가 가깝거나 유명한곳이 나와요.
④ 원하는 음식점을 선택해요

⑤ 음식점의 정보를 확인하고 [도착]눌러요

⑥ 현재 내위치에서 음식점을 찾아가는 경로가 나타나요(대중교통 기준)

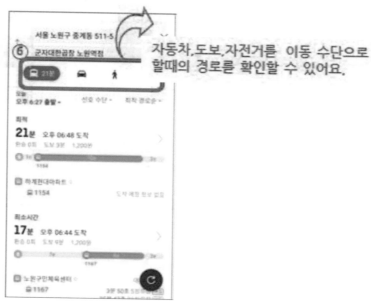

자동차,도보,자전거를 이동 수단으로 할때의 경로를 확인할 수 있어요.

▶ 거리 뷰 찾아보기

① 음식점을 선택한 후, 거리 뷰버튼[⊽]이나 사진을 눌러요

② 음식점 주변을 볼수 있습니다. 360도로 주변을 살펴 보세요.

촬영날짜를 선택하면 다른 촬영 일도 볼 수있어요.

▶ 즐겨찾기에 저장하기

① 저장하고 싶은 장소의 정보에서 [저장]을 눌러요.

② 내 장소에 체크[✔] 후, [저장]를 눌러요.

▶ 즐겨찾기에 저장하기
① 검색창에 '내과'라 입력하고
② 검색합니다.

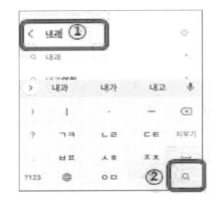

③ 원하는 병원을 선택해요
④ 병원의 정보를 확인하고 [도착]을 눌러요

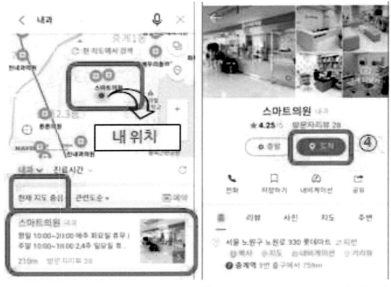

⑤ [상세경로]를 선택하면 경로를 모다 더 자세히 알 수있어요.
⑥ [안내시작]를 선택하면 네이게이션이 실행되요.
⑦ 하단에 삼선버튼 [≡]을 누르면 안내가 종료되요.

▶ 우리 집, 회사, 학교 등 주소 입력하기
① [대중교통]을 눌러요
② [장소를 등록해주세요] 을 눌러요
③ 집,회사 등 장소 이름과 주소를 입력 후 [등록]을 눌러요

연습해보기

1. 현재 위치에서 가까운 공중화장실을 찾아서 걸어서 얼마
   나 걸리는지 검색해보세요

2. 현재 위치에서 가장 가까운 약국이름은 무엇인가요?

▶ 우리 집에서 다른 장소로 이동하기

① [대중교통]을 누르고, [집으로]를 눌러요

② 집 주소를 확인 한 후 [출발]를 눌러요.

③ 도착지 입력 창을 선택해요.

④ 도착지를 입력해요.

⑤ 집에서 도착지까지의 경로와 정보를 확인해요

▶ 도착지에서 집으로 돌아가려면?

① 주소 변경 버튼[↑↓]을 누르거나

② 출발지와 도착지에 주소를 입력해요.

주소 창을 클릭하면
집과 즐겨찾기, 최근 검
색한 주소가 나타나요.

최적경로순: 원하는경로로 선택할
수있어요.
출발시간 : 출발시간을 선택하면
도착예상시간을 알수있어요.

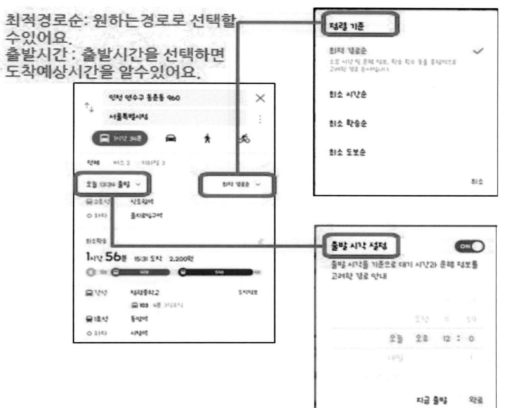

연습해보기

1. 본인집에서 인천공항1터미널까지 자가용으로 얼마나 걸리나요?

2. 본인집에서 서울시청까지 대중교통으로 가장빨리 도착하는 시간은 얼마인가요?

▶ 지도스타일 고르기

지도스타일을 선택해요

지도스타일

<< 일반 지도일 때 >>   << 위성 지도일 때 >>   << 지형도일 때 >>

[🗖]를 눌러요

지도에 나타낼 정보를
추가 또는 제거해요.

▶ 지도정보 추가/제거1

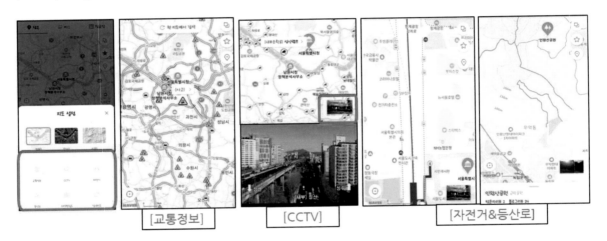

[교통정보]   [CCTV]   [자전거&등산로]

[교통정보]: 도로 정체 상황, 공사표시 등을 확인할 수 있어요
[CCTV] : 주변 환경 및 정보, 도로 정체 상황을 실시간으로 확인 할 수있어요.
[자전거&등산로]: 자전거도로, 등산로 확인할 수있어요.

▶ 지도정보 추가/제거2

[지적편집도] : 토지용도지역 구분 및 지번 확인을 할 수 있어요.
(분홍색-상업지역, 초록색-녹색지역, 노란색-주거지역, 파란색-공업지역)
[실내지도] : 위치아이콘이 나타나는 부분의 실내를 볼 수있습니다.

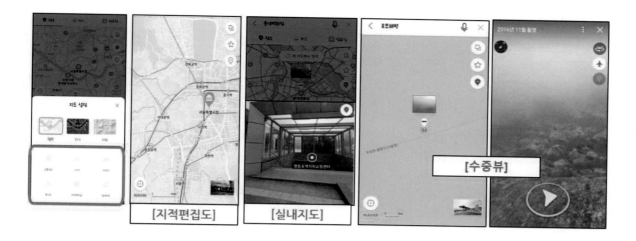

[지적편집도]　　　[실내지도]　　　　　[수중뷰]

▶ 장소 변경/삭제

① [≡]버튼을 눌러요.

② [자주가는 곳] - ③ [집회사]-[✎] 눌러요.

 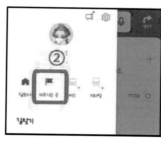 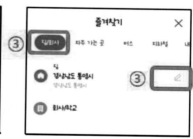

④ [삭제]버튼을 눌러요.

⑤ [확인]누르면 되요

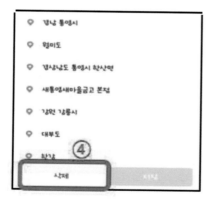 

▶ 검색한 기록 삭제

① [≡]버튼옆 검색창을 선택해주세요(|)이렇게 커서가 나오면 화면아래에 검색한 기록들이 뜹니다.

② [편집] 선택 - ③ [전체선택]-[삭제] 눌러요.

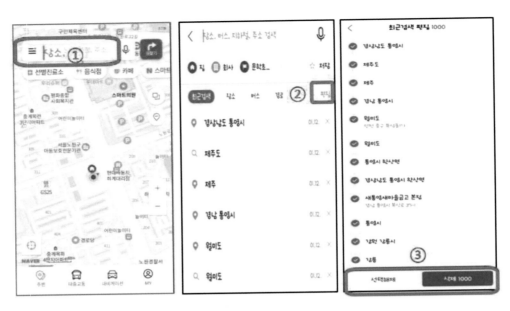

▶ 네비게이션 안내음성, 글자크기, 음성크기, 경고음크기변경
  ① [☰]버튼 선택해주세요
  ② [⚙] 선택 - ③ [내비게이션]을 눌러요.
  ④ 지도글자크기, 안내음성, 음성크기, 경고음크기등을 설정 할 수 있어요.

05 인천이음카드

▶ 인천 이음카드로 택시 호출하기(인천시 주민들 대상카드로 택시는
  이용비의 10%를 적립해줍니다.)

① 스마트폰 위에서 아래로 내린후 [위치] 켜놓기
② 이음카드 들어가기->e음택시 선택

③ 출발할 장소를 입력하거나 옆에있는 위치버튼 클릭하면 현재위치 나옴
④ 도착장소 입력
⑤ 예상금액이 나오고 금액있는 부분 선택하면 근처에 있는 택시를 호출(e음카드에 충분한 금액이 충전이 되어있어야 사용가능)

▶ 이음카드로 무료 책 받기
① 이음카드 들어가기->인천e몰 선택
② 무료도서선택
③ 원하는 도서 선택후 구매하기선택(배송비4,000원있음)

05 갤럭시의 여러 가지 기능들

▶ 갤럭시스토어(삼성폰)
  ① 앱스->갤럭시스토어
  ② 검색->삼성TV플러스

▶ 삼성폰 성능 알기
  ① Play스토어 -> samsung members 어플설치
  ② 화면 아래 오른쪽 도움받기 선택
  ③ 휴대전화 진단 선택
  ④ 배터리상태 진단받기, 위치 정확도,액정 진단받기

▶ 시간과 날씨 알기
  ① 위젯으로 날씨 및 시계 검색
  ② 날씨를 선택하여 시간대별 날씨 알기

▶ 만보기설치
  ① 위젯으로 삼성헬스검색

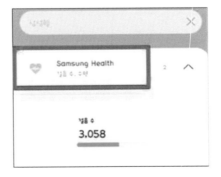

05 여러 가지 어플소개

▶ 시티즌 코난 보이스(보이스피싱 탐지 어플)
　① Play스토어 -> 시티즌 코난 검색 후 설치

▶ 호갱노노(아파트실거래가 조회가 가장 쉬운 부동산앱)
　① 　Play스토어 -> 호갱노노 검색 후 설치

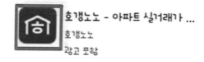

▶ 설리번+ (인공지능기반 시각보조 음성안내 어플)
　① Play스토어 ->설리번플러스 설치
　② 오른쪽아래 …선택->설정선택->알림 끄기

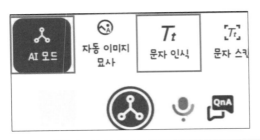

AI모드 : 사물을 자동으로 인식하여 음성으로 표현해 줍니다.

문자인식: 글자를 읽어 음성으로 낭독해줍니다.

얼굴인식 : 얼굴을 판단하여 나이와 표정을 낭독해줍니다.

▶ 인천의 안전->안심in (인천시에서 제공하는 안심귀갓길)

안심귀갓길 서비스
위급상황 발생 시 관제 센터에서
CCTV를 확안합니다.

친구추가시 귀갓길을 등록하면
지인에게 알림이 갑니다

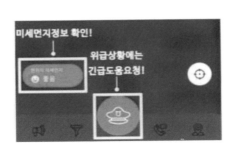

도움을 요청할때 '긴급상황 요청하기 ' 버튼을 선택합니다.]
가장 가까운 관제센터로 연결이 되고, 휴대폰으로 전화가 옵니다
전화를 못 받은경우 등록된 지인에게 연락이 갑니다

▶ 병원갈 때 신분증 지참대신->모바일 건강보험증

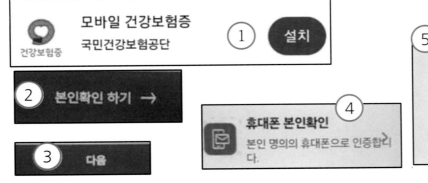

▶ 피싱문자, 악성앱-> 싹다잡아
　① Play스토어-> 싹다잡아
　② 악성링크문자가 오면 싸다잡아 앱을
　　 통해 알수 있습니다.

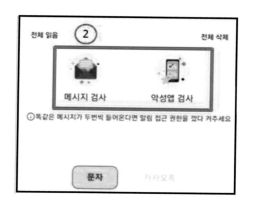

▶ 주말에 문연 약국,병원 찾기 ->응급의료정보제공
　① Play스토어-> 응급의료정보제공 설치
　② 병의원, 약국, 및 응급처치와 자동심장충격기가 있는 장소도 찾아줍니다.

▶ 국내 최대 대형 폐기물 간편 처리 ->빼기
　① Play스토어-> 빼기 설치
　② 모두허용을 선택해야 합니다.
　③ 대형폐기물을 선택하면 종류를 선택하여 처리비용을 볼 수있습니다.

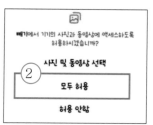

▶ 택시만 잡지 않아요->카카오T

① 주차선택
② 장소입력하면 근처 주차장이 나와요

▶ 카카오T->항공

① 항공선택
② 도착할 곳, 출발할 날짜, 인원선택 후 항공권 검색 선택

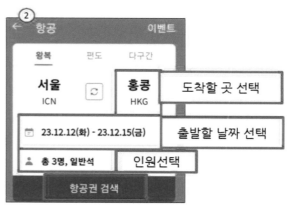

▶ 카카오T->택시

① 택시선택
② 출발지와 도착지를 입력후
③ 원하는 종류의 택시를 선택합니다.

④ 결제방식을 직접결제로 변경합니다.
⑤ 직접결제선택 후
⑥ 적용하기 눌러요.
⑦ 호출하기를 누르면 택시를 호출합니다.

06 인공지능

▶ 인공지능이란?

인간의 지능, 즉 자연 지능을 사람의 힘으로 구현한 것입니다. 1956년 미국 다트머스 대학에서 열린 다트머스 회의에서 컴퓨터 과학자인 존 매카시가 처음으로 "인간처럼 생각하고 행동하는 기계를 만들 수 있을까?"라는 질문을 제시했습니다. 1960년대와 1970년대의 1차 황금기와 침체기, 1980년대와 1990년대의 2차 황금기와 침체기를 거쳐 현재는 3차 황금기를 맞이하고 있습니다.

▶ ChatGPT란?

OpenAI가 개발한 대화형 인공지능 챗봇입니다. 2022년 11월 30일에 공개되었으며, 2021년 9월까지 많은 정보를 사전 학습했습니다. 공개된 지 단 5일 만에 일 사용자 수가 100만 명을 기록하며 전 세계적으로 큰 인기를 끌고 있습니다.

▶ ChatGPT는 빅스비와 뭐가 다른가요?

시리나 빅스비 같은 기존의 대화형 AI는 "오늘 날씨 알려줘", "음악 틀어" 같이 극히 제한적인 명령만 수행할 수 있었습니다.
ChatGPT는 인간이 언어로 시나 소설을 쓰고 보고서도 작성하고 사람들과 이야기도 나누듯 인간이 언어로 할 수 있는 거의 모든 작업을 능숙하게 해낼 수 있습니다.

▶ 인공지능 공포증

인공지능 때문에 인류가 멸망하지 않을까 걱정되시나요? 인간이 느끼는 공포, 두려움, 불안감은 대부분 알지 못하는 것에서 비롯됩니다. 그러므로 인공지능에 대한 막연한 공포를 극복하기 위해서는 인공지능을 직접 경험하고 체험해야 합니다!

Q1.이미지생성 AI에게 무엇을 그려달라 했을까요?

Q2. 이미지생성 AI에게 무엇을 그려달라 했을까요?

Q3. 사람이 그린 그림은 몇번일까요?

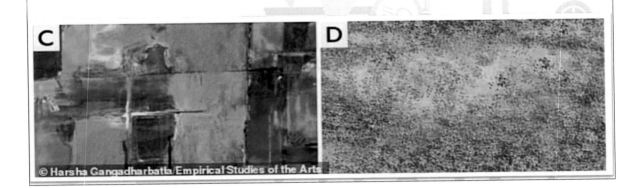

▶ 생산성 AI종류

생산성AI 종류는 많지만 대표적으로 Chat GPT, AskUP(아숙업), 바드(Bard), 빙쳇(마이크로소프트), 클로바X(네이버) 등이 있습니다. 이중 AskUP만 카카오톡 채널추가로 사용 가능합니다.

06 아숙업(AskUp)

▶ 카카오톡으로 아숙업(AskUp)추가하기

㈜업스테이지의 서비스로 OpenAI의 최신 언어모델을활용하여 개발

Ask+Upstage=AskUp

장점

-번역을 거치지 않아도 된다.

-글을 잘 짓는다.

-이미지속텍스트를 잘 읽는다(1000자미만의 이미지 글자 인식)

-이미지속내용요약가능, 주의해야할 성분알려주기, 번역도 가능

단점

-2021년 이후 최신정보는얻을 수 없다.

-하루에 100회 무료 크레딧을 제공

-PDF 또는 화질이 안좋을때는글자 인식을 잘 못한다.

정답
1번: 기사식당 2번: 비오는날의 커피 3번:B 4번: C

▶ 카카오톡으로 아숙업(AskUp)추가하기

① 카카오톡의 친구-> 검색단추 선택
② '아숙업' 검색창에 입력
③ 하단 채널추가 선택후 ④대화하기 선택

 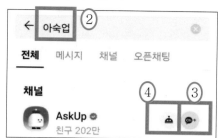 

▶ 아숙업으로 촬영후 사용해보기

① 아숙업 대화창 -> 첨부(+)버튼 선택
② 카메라 사진촬영
③ 아숙업에게 원하는 내용을 요청합니다.

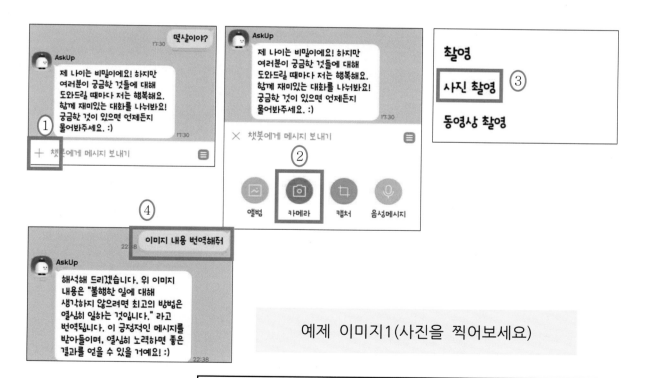

예제 이미지1(사진을 찍어보세요)

让自己不想不幸的事情的
最好的方法就是埋头苦干。

▶ 아숙업으로 인물사진 재탄생 시켜보기
  ① 아숙업 대화창 -> 첨부(+)버튼 선택
  ② 카메라 사진촬영
  ③ 본인얼굴을 촬영후 원하는 메뉴를 선택해 봅니다.

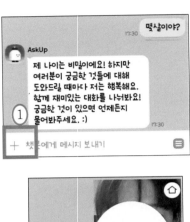

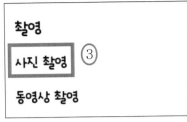

▶ 아숙업으로 어울리는 음식 요청해보기
  ① 아숙업 대화창 -> 첨부(+)버튼 선택
  ② 카메라 사진촬영
  ③ "이 음식과 어울리는 음료는?" 하고 질문해봅니다

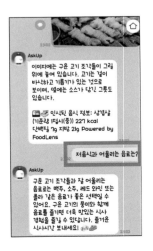

예제 이미지2(사진을 찍어보세요)

▶ 아숙업으로 성분분석해보기

① 아숙업 대화창 -> 첨부(+)버튼 선택

② 카메라 사진촬영

③ "주의해야할 재료 있어?"하고 질문해 봅니다.

AskUp

해당 제품의 원료명을 보면 밀, 대두, 우유, 달걀, 돼지고기 함유된 것을 확인할 수 있어요. 이러한 알레르기를 일으킬 수 있는 재료에 민감한 경우 주의해야 합니다. 제품을 섭취하기 전에 원료를 꼼꼼히 살펴보고 알레르기 반응이 없는지 확인하는 것이 중요해요.식품 섭취 시 안전을 위해 주의해주세요.

예제 이미지3(사진을 찍어보세요)

130 g (401 kcal)

식물성크림 25.94 %, 가공유크림 16.21 %(유크림 99.9 %), 연세우유 3.24 %

제품명	연세우유 우유생크림빵
식품유형	빵류
업소명 및 소재지	㈜푸드코아 / 경기도 안성시 공단1로 87(신건지동)
유통기한	별도표기일까지	내용량 130 g
원재료명 및 함량	식물성크림{팜핵경화유(인도네시아산),물엿,D-소비톨액,설탕,혼합제제(카제인나트륨,메틸셀룰로스,설탕,제이인산칼륨,정제소금)},밀가루(1)(밀:미국산,캐나다산),가공유크림(스페인산/유크림,카라기난),설탕,기타가공품(1)(해바라기유,유유단백질,탈지분유,변성전분,글리세린지방산에스테르),전란액,연세우유(원유:국산),마가린(1),마가린(2),밀가루(2),기타가공품(2),서울탈지분유,효모,기타가공품(3),정제소금,기타가공품(4),혼합제제(밀가루,탄산칼슘,혼합제제(글리세린지방산에스테르,탄산칼슘),곡류가공품}
밀,대두,우유,달걀,돼지고기 함유	

영양정보	총 내용량 130 g 401 kcal
총 내용량당 1일 영양성분 기준치에 대한 비율	
나트륨 210 mg	11 %
탄수화물 38 g	12 %
당류 11 g	11 %
지방 25 g	46 %
트랜스지방 0.4 g	
포화지방 12 g	80 %
콜레스테롤 60 mg	20 %
단백질 6 g	11 %
1일 영양성분 기준치에 대한 비율(%)은 2,000kcal 기준이므로 개인의 필요 열량에 따라 다를 수 있습니다.	

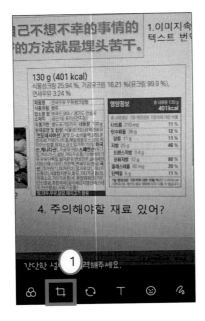

① 사진촬영후 하단에서 크롭[⬚]선택

② 노란테두리[130]로 원하는 부분까지 손가락으로 선택

③ 원하는부분으로 노란 사각테두리 선택 완료 후 하단에 [자르기]선택

④ 오른쪽 위쪽 [전송]선택

▶ 아숙업으로 여행일정 요청해보기
　① 아숙업 대화창 -> "제주도 1박 2일 코스짜줘"라고 입력하기

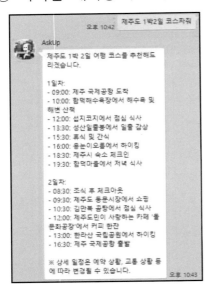

06 아숙업에게 질문해 보기

▶ **아숙업에 들어가서" ?"위치에 따라 달라지는 결과물을 확인해봅니다.**

① ?독도에 대해 알려줘

② 독도에 대해 알려줘

③ 링크를 붙여넣으면 내용을 요약해줍니다.

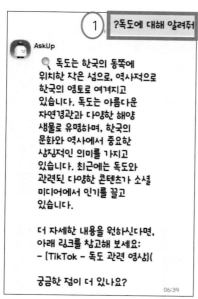
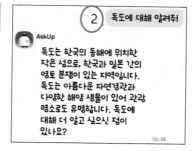
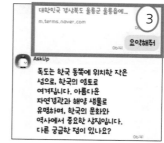

- ?를 앞에 붙이면 해당 내용이 있는 링크를 올려 줍니다.
- 내용이 있는 웹사이트 링크를 붙여넣어주고 "요 약해줘"라고 입력하면 내용을 요약해줍니다.

▶ **아숙업에 들어가서 마이크로 명령을 내려봅니다.**

① 서울에 혼자 갈만한곳 알려줘

② 제주도 1박2일 코스 짜줘

③ (본인이름)으로 3행시 지어줘

④ 각각 첫글자에 (본인이름)을 넣어 3행시 지어줘

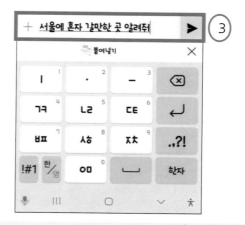

메시지창을 선택 후 하단아래 마이크[🎤]선택후 음성으로 명령 후 전송[▶]선택

▶ **안녕 만나서 반가워를 영어로 바꿔줘.**

① 번역된 문장을 되붙이기 한후 보내기

② 틀린 문장이 있으면 알려줘

③ 안녕을 각나라 말로 바꿔줘

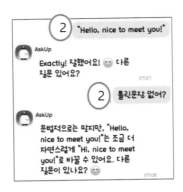

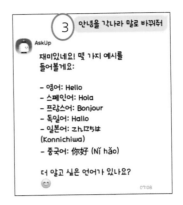

06 아숙업에게 그림요청하기

▶ **아숙업에 들어가서 그림을 요청해봅니다.**

① 눈내리는 겨울 풍경 그려줘

② 작은 장미를 모네풍으로 그려줘

③ 1980년대 뉴욕거리 그려줘

④ 만화같은 느낌으로 신비한 궁전과 커다란용을 그려줘

07 챗GPT 설치하기

챗GPT는 인공지능 로봇으로, 사람과 대화할 수 있는 프로그램입니다. 처음에는 2018년에 개발되었고, 지금은 최신 버전인 GPT-4까지 나왔습니다. 무료버전으로 사용시 3.5입니다. 이 프로그램은 질문에 대답하고 정보를 찾아주는 역할을 합니다. 예를 들어, 역사에 대해 물어보거나 일상적인 대화를 할 때도 마치 사람과 이야기하는 것처럼 자연스럽게 답해줍니다. 스마트폰이나 컴퓨터를 이용해 쉽게 사용할 수 있어서, 노인분들도 편리하게 정보를 얻을 수 있습니다.

▶ 챗GPT앱 설치하기
  ① 플레이스토어로 들어가 챗gpt 검색해주세요.
  ② ChatGPT, OpenAI 꼭 확인후 설치 해주세요.
  ③ Continue with Google 로그인 합니다.
  ④ Continue 눌러주세요.
  ⑤ Agree 눌러주세요.

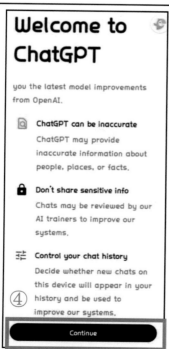

07 챗GPT에게 질문해 보기

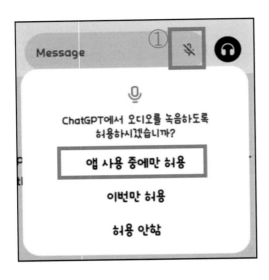

① 마이크를 누르고 앱 사용 중에만 허용을 선택

② 음성으로 말한 후 보내기 [↑]를 선택

▶ 챗gpt에 프롬프트 사용해 봅니다.

- 중년여성에게 알맞은 운동 알려줘
- 집에서 할 수있는 운동으로 다시 정리해줘
- 위 운동을 1주일 스케줄로 작성해줘
- 건강에 좋은 간식알려줘
- 위 운동과 간식을 1주일 스케줄로 만들어줘
- 1주일 스케줄을 표로 만들어줘
- 행과 열을 바꿔줘-주말은 삭제해 줘

▶ 챗gpt로 게임도 만들어 봅시다.

- HTML로 가위바위보 게임을 만들어줘
- 시각적으로 예쁘게 디자인해줘
- 가위바위보 게임이 어떻게 동작하는지 보여줘

실제 실행은 PC에서 확인이됩니다.
메모장실행->코드 붙여넣기->저장시 파일명.html로 하시면 실행되는 것을 보실 수 있으세요.

▶ 챗gpt 개인맞춤설정을 이용해요.

① [☰]선택

② 하단에 본인이름 선택

③ 맞춤설정 선택->하단 예시문을 참고로 상황설정을 해주면 원하는 스타일로 들을 수 있어요.

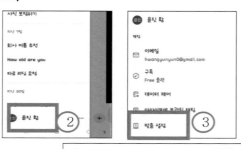

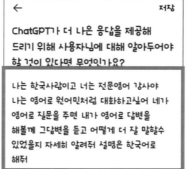
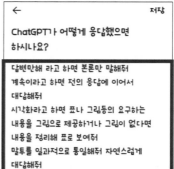

---

07 작곡AI-suno

▶ 가사만 적으세요 작곡은 알아서 해주는 suno

① 스마트폰 크롬으로 들어가 주소줄에 'suno.com'입력(크롬으로 입장해야 한국어로 번역이 됩니다.)

② [구독하다] 클릭->③ 구글로 회원가입

④ [만들다]선택

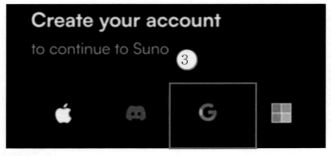

⑤ [관습]체크-> ⑥ 가사를 다 써도 되고 조금만 입력한 후에 하단 [가사생성]선택하면 가사를 자동으로 만들어줍니다.

⑦ 음악스타일 고르고 ->⑧ 제목을 입력 한 후 ->⑨ [만들다]선택

⑩ 작곡은 두가지로 해줍니다. 화면을 선택하면 재생 다시 선택하면 멈춥니다.

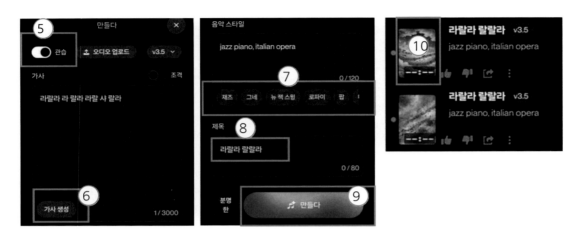

⑪ 마음에들면 점3개 ⋮ 선택-> ⑫다운로드 중 오디오,동영상 선택하여 갤러리에 저장합니다. (오디오는 내파일에, 동영상은 갤러리로 저장)

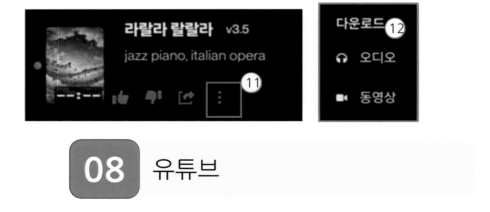

08 유튜브

▶ 유튜브란?

• 유튜브는 구글(Google)이 소유하고 있는 동영상 공유 플랫폼으로, YOU(당신)와 TUBE(브라운관)이라는 단어를 합성한 것으로, "사용자들이 동영상을 업로드하고 시청하는 플랫폼"을 의미합니다 또한, 별도의 회원가입 없이도 모두 시청 가능합니다.

• 시작부분이나 중간에 광고를 시청해야 하는 '무료시청'과 매달 일정금액을 결제하여 광고가 나오지않게 하는 '유튜브 프리미엄' 가입 서비스로 나누어집니다.

• 백그라운드 재생: 스마트폰 화면이 꺼진 상태에서도 동영상이 재생되는 서비스
• 유튜브뮤직 : 음악을 감상 할 수있는 서비스
• 오프라인 저장 : 동영상을 저장하여 오프라인상태에서도 어디서든지 시청이 가능
 한 서비스

유튜브 본인계정 확인하기

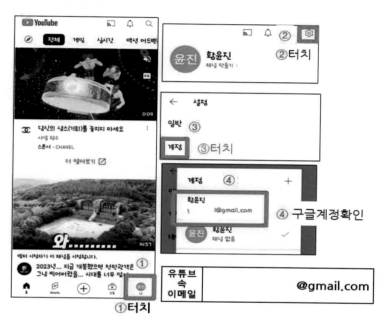

▶ 유튜브채널 개설하기

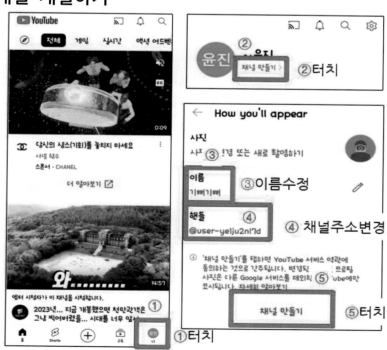

▶ 홈화면 메뉴 배우기

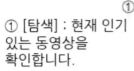

① [탐색] : 현재 인기 있는 동영상을 확인합니다.

② [전송] : 스마트폰과 연결가능한 스마트TV와 연결 합니다.

③ [알림] : 메시지 및 알림을 확인합니다.

④ [검색] : 원하는 동영상을 검색 합니다.

⑦ [만들기] : 동영상을 제작 또는 올릴 수 있습니다.

⑤ [홈] : 본인의 활동에 따른 맞춤 동영상이 표시됩니다.

⑧ [구독] : 페이지 상단에서 구독 채널 목록을 확인 할 수 있으며, 구독 중인 채널의 최신 동영상이 표시됩니다.

⑥ [Shorts] : 쇼츠영상들을 볼수 있습니다.

⑨ [계정] : 본인 계정 및 설정을 변경할 수있어요.

▶ "건강박수" 검색 해보기

① [검색] 터치

② 건강박수 입력또는 마이크로 음성검색

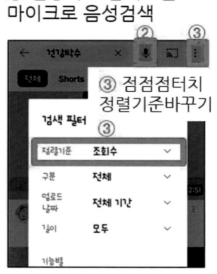

③ 점점점터치 정렬기준바꾸기

▶ 저장눌러 나중에 볼 동영상에 저장하기

④ 🔲 스마트TV와 연결
   📶 자막
   ⚙️ 화질,재생속도 조절

⑤ 화면크게보게

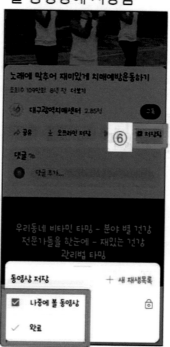

⑥저장됨 누르면 나중에
볼 동영상에 저장됨

▶ [탐색]으로 원하는 종류 선택하기

① [탐색] 터치

② 원하는 종류를
선택해 볼 수있어요

▶ [Shorts]메뉴 알아보기

②좋아요 표시

③댓글달기

④영상공유하기

⑤영상에 쓰인 음악이나 영상
재편집사용하기

⑥유튜버계정으로 이동

①[Shots] 터치

08 유튜브 속 영상제작

▶ 유튜브속 영상제작으로 영상을 만들어봐요1

① 크롬->픽사베이 검색합니다.

⑤다운로드터치

다운로드 ∧

⑥확인
960×540   MP4   11.7 MB
1280×720 MP4   19.1 MB

⑦다운로드터치

다운로드   보기

다운로드 1개 완료
(11.14MB)
vod-progressive.akamaized.net   열기

⑨손가락 옆으로 밀어요

감사함을 전하세요 hu_lexxi

다운로드하면 라이선스에 동   ⑧ X선택

기부   프로필

Pixabay에서 Alexander Huber 님이 제공한
동영상

Canva
무료 온라인 YouTube 편집기

다운로드 ∧

⑩다운로드터치

00:30

다운로드   ×

⑪확인   MP4   11.7 MB
1920×1080   MP4   22.0 MB
2560×1440   MP4   39.0 MB
3840×2160   MP4   76.2 MB

⑫다운로드터치   65.3 MB

다운로드   보기

▶ 유튜브속 영상제작으로 영상을 만들어봐요2

① [만들기] 선택

만들기   ×

Shorts 동영상 만들기 ②선택

동영상 업로드

라이브 스트리밍 시작

게시물 작성

③ 갤러리선택

④ 동영상길이 조절
20.8s
⑤완료선택   완료

⑤ 갤러리터치

⑥ 동영상길이 조절
20.1s
⑦완료터치   완료

사운드 추가   15
⑧ 사운드추가선택

사운드
검색

⑨ 선택   ⑩ 선택

Perfect Night
LE SSERAFIM

⑪ 선택

⑫ 선택

타임라인   다음

▶ 유튜브속 영상제작으로 영상을 만들어봐요3

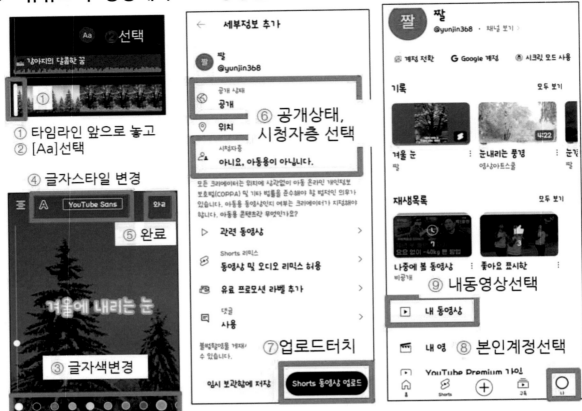

① 타임라인 앞으로 놓고
② [Aa]선택

④ 글자스타일 변경

⑤ 완료

③ 글자색변경

⑥ 공개상태, 시청자층 선택

⑦ 업로드터치

⑨ 내동영상선택

⑧ 본인계정선택

⑥ 공개상태선택, 시청자층은 아동용이 아닙니다 선택 합니다.

▶ 만든 영상 관리하기

①[본인계정] 선택

②아래쪽 내 동영상 선택

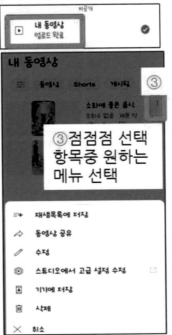

③점점점 선택 항목중 원하는 메뉴 선택

- 재생목록에 저장
- 동영상 공유
- 수정
- 스튜디오에서 고급 설정 수정
- 기기에 저장
- 삭제
- 취소

08 AI 초간단 쇼츠제작

▶ 틱톡: 15초에서 10분 길이의 숏폼(Short-form) 비디오 형식의 영상을 제작 및 공유할 수 있는 글로벌 숏폼 동영상 플랫폼입니다. 틱톡은2016년 150개 국가 및 지역에서 75개의 언어로 서비스를 시작한 이래, 한국에서는 2017년 11월부터 정식으로 서비스를 시작했습니다.

▶ 릴스: 인스타그램에있는 서비스중하나로 해외에서는 2020년 8월 5일에 처음 런칭했지만, 한국은 2021년 2월 2일에 출시했습니다. 미국에서 중국산 어플 TikTok의 개인정보 유출 때문에 금지시킨 후 만들어진 대체재들 중에 하나입니다. 인스타그램앱의 하단 상태바중간에 위치한 아이콘을 통해 이동할 수 있습니다.

▶ 쇼츠:YouTube Shorts는 Google이 TikTok과 경쟁을 위해 내놓은 소셜네트워크 서비스입니다.

YouTube Shorts는 최대 1분 길이의 세로 영상으로, 유튜브의 하위 서비스입니다. 이 영상들은 자동으로 Shorts로 등록되며, 유튜브 알고리즘에 노출될 확률이 높아 빠르게 유명해질 수 있습니다. 일반 영상에 비해 수익이 적고 광고가 붙지 않지만, ShortsFund를 통해 매달 수천 명의 유튜버들에게 보너스가 지급됩니다.

▶ AI영상으로 초간단 영상 만들기

플리키 : 단 2분만에 AI음성, AI이미지로 영상을 만들어주는 서비스입니다. 무료 사용시 5분제작 가능합니다.

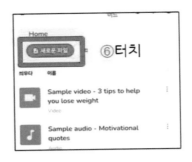

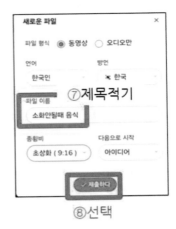

⑧선택

▶ AI영상으로 초간단 영상 만들기2

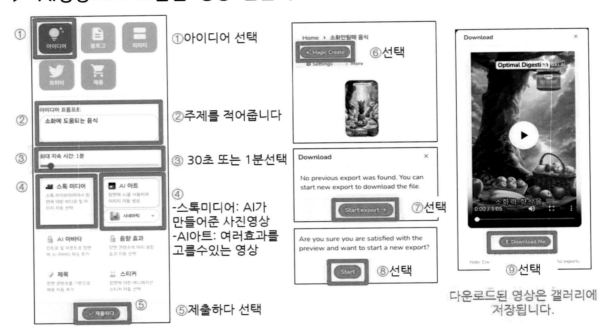

①아이디어 선택

②주제를 적어줍니다

③ 30초 또는 1분선택

④
-스톡미디어: AI가
만들어준 사진영상
-AI아트: 여러효과를
고를수있는 영상

⑤제출하다 선택

⑥선택

⑦선택

⑧선택

⑨선택

다운로드된 영상은 갤러리에
저장됩니다.

▶ 만든 영상 유튜브에 올리기

①[만들기] 선택

②선택

③제목달기

④공개하기

⑤시청자층 정하기

⑥업로드 하기

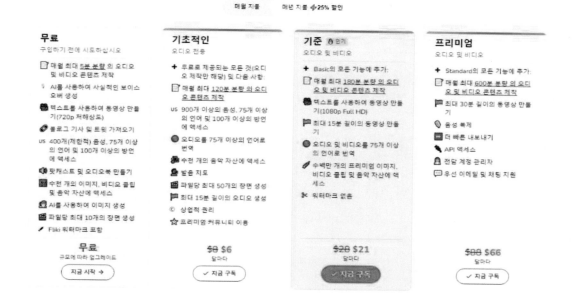

현재 플리키 서비스는 부분유료로 위 이미지와 같이 무료로도 매월 최대 5분 분량의 오디오 및 비디오 콘텐츠 제작이 가능합니다. 또한 무료로 사용하실 경우는 720p 해상도의 영상만 출력된다는 것을 유의하세요. 무료로 시작하셨다가 서비스가 괜찮으시면, 구독하여 월 6~21달러 스탠다드형까지 추천합니다.

09 쇼츠 제작하기[아바타제작]

▶ **AI에이닷으로 아바타를 만들어 줍니다.**

① Play 스토어에서 '에이닷' 검색
② 화면아래쪽 앱을 선택
③ [전체보기] 선택
④ 여러컨셉 중 [AI증명사진] 선택->AI프로필만들기 선택

⑤ + 새로운 사진 올리기 선택

⑥ 사진업로드 선택

⑦ 사진 선택 후 하단에 있는[업로드(1장)선택

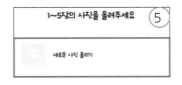  

⑧ 사진이 완성되면 알림이 옵니다. 알림창을 선택해도 되고, 에이닷->화면하단 앱선택->포토 선택-> 화면 오른쪽위 사람형태[👤]선택

⑨ 사진선택

⑩ 오른쪽 상단 [모두저장]선택(사진 전부 갤러리에 저장됩니다.)

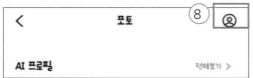  

▶ 내 아바타에 목소리를 넣어요.

① Play 스토어에서 'dreamface' 검색 후 설치

② 내사진을 사용해 보세요 선택

③ 허용 선택

  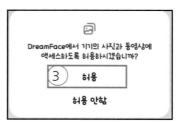

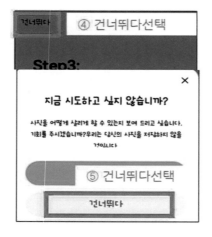

▶ 내 아바타에 목소리를 넣어요2

① 화면상단위 [사진아바타]선택
② +버튼 선택-> 사진선택후 [수입]선택 ->[계속하다] 선택
③ [문자로]선택

④ 글자를 입력 후 상단위 [계속하다]선택
⑤ [+ 당신의 목소리를 만들어보세요] 선택
⑥ 기록 선택->권한 활성화 선택

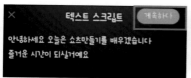  

⑦ 앱 사용 중에만 허용 선택
⑧ 녹음 버튼 누르고 위화면에 뜨는 내용을 낭독
⑨ 녹색v 선택
⑩ 목소리에 이름 지어주고 [계속하기]선택

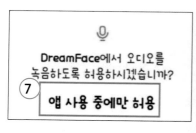  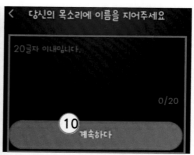

⑪ 목소리이름 선택 후 오른쪽 위 [확인하다]선택

⑫ [생기있게하다] 선택

⑬ 영상이 완성되면 중간에 [구하다]선택(영상은 갤러리에 저장되요)

09 쇼츠 제작하기[캡컷]

▶ **배경으로 쓸 영상 저장하기**

① 인터넷에 들어가 검색창에 "픽사베이"선택

② 검색어에 "자연 세로" 카테고리는 [비디오]선택 마음에드는 배경영상 선택

③ [다운로드]선택

④ 720x1280 선택 후 [다운로드]선택

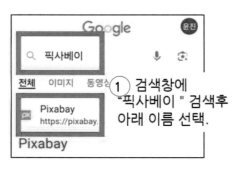 

▶ 캡컷으로 영상 만들기

① Play 스토어에서 '캡컷' 검색 후 설치

② 설치가 되면 실행 후 화면 우측 위 설정(육각형)선택

③ 기본엔딩추가 없애기

 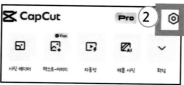 

④ 왼쪽상단 < 선택

⑤ 왼쪽 아래 [편집] 선택

⑥ 화면 상단 [+ 새 프로젝트]선택

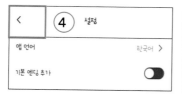  

⑦ 픽사베이로 저장한 영상 선택->⑧ [추가]선택

⑨ 하단에 있는 메뉴를 손가락으로 밀어 [가로 세로 비율]선택

⑩ 9:16 선택(16:9는 유튜브사이즈입니다.)후 V선택

 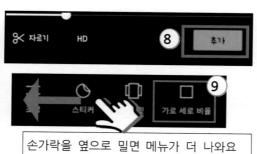

손가락을 옆으로 밀면 메뉴가 더 나와요

⑪ 하단에 있는 영상선택후 맨 아래 [속도]선택

⑫ 일반선택

⑬ 1.5로 속도를 빠르게 변경 후 ⑭하단v 선택

▶ 캡컷으로 영상 만들기-사진위 사진넣기

① 검정바닥 선택 후 하단 [오버레이]선택->②PIP 추가 선택

③ 갤러리에 저장된 본인의 아바타 선택 후 [추가] 선택

④ 하단 메뉴 중 오른쪽으로 밀어서 [마스크]선택

⑤ 원하는도형 선택 후 하단 v 선택

⑥ ↕도형의 길이 조절, ↔도형의 너비 조절 후v선택

⑦ 처음부터 나오면 부자연스러우니 아바타영상을 뒤로 밀어줍니다.

⑧ 배경영상이 너무 길어서 자르고자 합니다 검은화면을 손가락으로 밀어
자르고싶은 곳까지 이동합니다.(배경이 짧으면 배경을 한번 더 복사해야 합니다.
긴배경으로 준비하는게 나아요)

⑨ 하단 메뉴 중 [분할] 선택 후 ⑩버리고싶은 영상 선택 ⑪하단 [삭제]선택

아바타영상을 손가락으로 눌러 밀어요

여기가 영상을 자를 부분이 됩니다.

▶ 캡컷으로 영상 만들기- 자막만들기

① 검정바닥 선택 후 하단 [텍스트]선택->② [자동캡션]선택(영상 속 음성을 자막으로 변경해주는 기능입니다)

③ 생성 눌러줍니다(자동캡션은 유료라 자막이 생기면 그대로 텍스트기능을 직접 눌러 하나씩 자막을 다시 만들어야합니다.

④ 내용을 수정하거나 위치를 옮기고 싶을때는 검정 바탁 선택 후 하단[텍스트]선택 지금은 텍스트를 똑같이 써야하니 선택해 줍니다.

⑤ [텍스트추가]를 눌러 화면에 뜬 자막을 보고 똑같이 타이핑합니다.

⑥ 위치와 크기를 변경한 후 자동캡션으로 만들어진 자막은 선택후 삭제합니다.

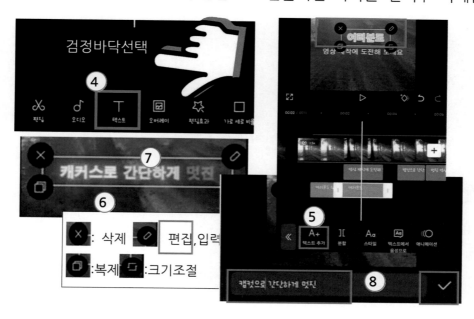

❌ : 삭제   ✏️ 편집,입력
⬛ :복제   ⬛ :크기조절

▶ 캡컷으로 영상 만들기-배경음악 넣기

① 손가락으로 검정바닥을 밀어 맨 앞으로 이동합니다.

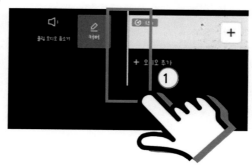

② 하단메뉴 중 [오디오]선택

③ 중간에 폴더그림선택 ④장치 선택

⑤ 스마트폰 속 음악들이 나타납니다. 스노로 만든 노래를 선택해 + 누릅니다.

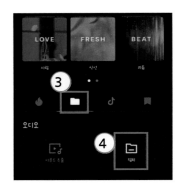

⑥ 배경영상이 끝나는 곳으로 이동하여 플레이헤드를 위치 시킵니다. 하단 메뉴에서 ⑦ 분할 선택 ⑧ 음악 뒷부분 선택 후 메뉴 중 ⑨ 삭제 선택

⑩ 음악선택 후 아래 메뉴 중 [희미하게]선택->⑪페이드인, 페이드아웃 모두 2s 지정 후 ⑫v 선택

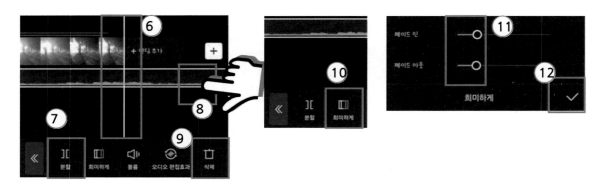

⑬ 하단메뉴 중 [볼륨]선택

⑭ 볼륨크기는 20~40으로 작게 조절합니다. ⑮ v선택

⑯ 완성이 다된 작품은 상단위 [내보내기]선택(갤러리에 저장됩니다.)

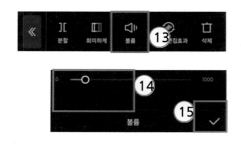